バドミントン
最強のメンタルトレーニング
新装版

勝利をつかむ心の整え方

元バドミントン女子日本代表監督
小島一夫 著

勝利をつかむ！
バドミントン最強のメンタルトレーニング

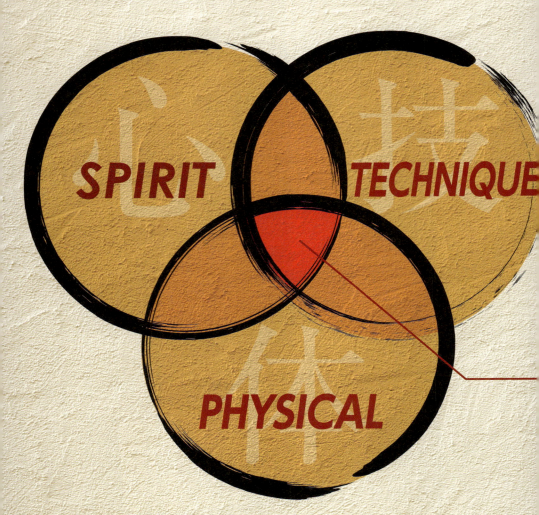

はじめに

　バドミントンの試合で勝敗を分けるのは、あらゆる要素のうち8割程度が技術と体力かもしれません。メンタルは残り2割に過ぎません（実力が同程度の場合）。しかし、同じレベルの相手との戦い、あるいは格上選手と対戦するときには、その2割を占めるメンタル、つまり〝心のコンディション〟が結果を大きく左右します。

　私がナショナルチームで監督を務めていた頃、ある選手が当時の世界ランキング1位の外国人選手を破って国際大会で優勝したことがあります。おそらく10回試合をして1回勝てるかどうか、という実力差のある相手でしたが、私は選手にポジティブな言葉をかけ続け、選手もその気になって戦うことができた、まさにメンタルの勝利でした。

　競技を問わず、一流のアスリートがよく「ゾーンに入る」という表現をします。ゾーンとは極限の集中状態を指し、バドミントンで言えば、相手のショットやシャトルの動きがゆっくり見えたり、思い通りのラケットワークができたり、打つショットすべてがラインぎりぎりで入るような状況です。

　ゾーンに入るためには、技術レベルが一定水準を超え、フィジカルコンディションが万全で、適度な緊張と適度なリラックスがあること。さらに、この試合に勝ちたいという確かなモチベーションが欠かせません。ゾーンは、心・技・体が本当の意味で1つになったときに現れる世界であり、メンタルトレーニングの最終成果は、ゾーンに入ることだと私は考えています。

　本書では、とくにメンタルに特化し、プレイヤーのみなさんをゾーンの入り口へと連れて行くのが目的です。ただし、最終的にその扉を開くのはあなた自身です。少しでもそのお役に立てれば幸いです。

小島一夫

ZONE

この本の使い方

本書はバドミントンの試合で勝つために、メンタルをどのようにコントロールすればよいか、そのコツを紹介しています。

各ページは「MENTAL」というコツの項目ごとに、必要な知識や技術の秘訣をわかりやすく解説しています。「練習ではうまくいくのに本番では実力が出せない」、「すぐに緊張してしまう」という悩みを持つという選手や、「今までよりも試合に余裕を持って挑みたい」と、さらなるレベルアップを望んでいる選手まで、幅広くメンタルの向上に必要なコツをカバーしています。

本文の説明では、心がゲームに及ぼす影響や、普段の取り組みの大切さなどメンタルについてわかりやすく解説。具体的な実践方法については、写真やコメントなどでビジュアル的に理解しやすい構成になっています。

コツ01から順番に読んでいくことはもちろん、気になる部分を中心にチェックしたり、弱点克服や課題のクリアなど、自分のレベルや状況に合わせて活用することもできます。

タイトル
このページでメンタルを強化するための目的や手段などが、一目でわかるようになっている。

メンタルマネージメント③瞑想

コツ 12 心を静めて無心になる

心を静めて無心になる「瞑想」は、深呼吸とともに代表的なメンタルマネージメントだ。一度、心を無にすることで、自分がやるべきことに意識を集中しやすい状況を作る。人の体はマイナスのメンタル要素が加わると緊張して硬くなるが、瞑想は副交感神経の働きを優位に

し、自律神経...
くする要素...

気軽にで...
ないときな...
ラックスした...
緊張したター...
トロールで...

集中が高まった...
瞑想で心を静めて...
ニング前に瞑想...
入するのも良いだ...

メンタル CHECK 瞑想はいつでも気軽にできるが、最も効果...ていない早朝がよいと言われている。試合...く起床し、テレビなどの雑音のない場所で...

42

解説文
テーマに関するメンタルについての考え方、知識を解説している。じっくり読んで理解を深めよう。

4

POINT
タイトルに連動して、メンタルを強化するポイントを写真と文章で解説している。

POINT 1
イスに座って
楽な姿勢で瞑想に入る

瞑想は、椅子に座って行っても床に座って行ってもよい。できるだけ背すじを伸ばし、楽な姿勢で行うことが重要。姿勢が悪いと、体をめぐる気(エネルギー)がブロックされてしまうからだ。波や鳥のさえずりなど自然の音をバックに流すと、気持ちを落ち着けやすい。

POINT 2
手をモモの上に置き
温かくなるのを感じる

モモの上に手のひらを上にして置き、ゆっくり呼吸をしながら手に気持ちを集中させる。やがて手のひらが温かくなってくる感じがすれば、リラックスできてきた証拠だ。人は寝ているとき、リラックスして血の巡りが良く、手足が温かいが、それと同じ状況を作り出す。

POINT 3
おでこが涼しくなれば
リラックスできている状態

瞑想のレベルが上がってくると、気持ちが落ち着くにしたがっておでこが涼しくなってくる。緊張しているときはいろいろと考えてしまい、交感神経が活性化して一種の「のぼせ」状態になるが、リラックスするには、逆に頭をクールにしなければいけない。

プラスワン +1
脱力によって緊張をほぐす
「筋弛緩法」も効果的

体の一部分に5～6秒間、ギューっと力を入れ、一気に力を緩める。この「筋弛緩法」を繰り返すことで、体のこわばりがほぐれ、緊張感から解放される。うつ伏せになり、力を入れてから、パートナーに両足を持って左右に振ってもらい、筋肉をリラックスさせるのも1つの方法だ。

プラスワンアドバイス
メンタルに関する詳しい知識や動作など、細かな方法などをアドバイスしている。

CONTENTS

※本書は2018年発行の『勝利をつかむ！バドミントン 最強のメンタルトレーニング』を元に、必要な情報の確認と書名・装丁の変更を行い、新たに発行したものです。

はじめに ・・ 2
この本の使い方 ・・ 4

PART1 バドミントンのメンタルマネージメント

メンタル対談　「強いメンタルを手に入れて試合に勝つ！」・・・・・・・・・・・・・・・・ 10
　　　　　　　心技体のたった2割が勝負を決める ・・・・・・・・・・・・・・・・・・ 12
　　　　　　　1本でも負けたくないという選手が大成する ・・・・・・・・・・・・ 14
　　　　　　　自分にあった方法・考え方でメンタルをマネージメントする ・・・・・・・・ 16
コツ01　守る勇気と攻めるゆとりを持ってポジティブにプレーする ・・・・・・・・・ 18
コツ02　メンタルが試合の結果を大きく左右する・・・・・・・・・・・・・・・・・・・・・・・ 20
コツ03　ゲーム中は常に平常心でプレーすることを心がける ・・・・・・・・・・・・ 22
コツ04　環境に惑わされず感謝の気持ちでプレーする ・・・・・・・・・・・・・・・・ 24
コツ05　心理的競技能力テストで今の自分を知る ・・・・・・・・・・・・・・・・・・・・ 26
コツ06　日常からメンタルマネージメントに取り組む ・・・・・・・・・・・・・・・・・ 28
コツ07　自信を持てる考え方を身につける ・・・・・・・・・・・・・・・・・・・・・・・・・ 30
コツ08　心を整えて念入りに準備する ・・・・・・・・・・・・・・・・・・・・・・・・・・・・ 32
コツ09　試合では闘争心・平常心を維持して戦う・・・・・・・・・・・・・・・・・・・・・ 34
コツ+α　チームの一員としてバドミントンに携わる ・・・・・・・・・・・・・・・・・ 36

PART2 日常から取り組むメンタルトレーニング

コツ10　脈拍を計ってメンタルを把握する ・・・・・・・・・・・・・・・・・・・・・・・・・ 38
コツ11　深呼吸を効果的に取り入れる ・・・・・・・・・・・・・・・・・・・・・・・・・・・・ 40
コツ12　心を静めて無心になる ・・・・・・・・・・・・・・・・・・・・・・・・・・・・・・・・・ 42
コツ13　同じ動作で平常心を維持する ・・・・・・・・・・・・・・・・・・・・・・・・・・・・ 44
コツ14　オン・オフを切り替えて集中力を増す ・・・・・・・・・・・・・・・・・・・・・・ 46

コツ15　セルフトークを入れて切り替える ････････････････････････････ 48
コツ16　ストレッチで体と心を整える ･･････････････････････････････ 50

PART3　メンタルを強くするための考え方
コツ17　憧れの選手・理想の選手を目標にする ･･････････････････････ 58
コツ18　目標をクリアするまでの計画を立てる ･･････････････････････ 60
コツ19　バドミントンを通じて成長する ････････････････････････････ 62
コツ20　重要な大会にピークを合わせる ････････････････････････････ 64
コツ21　「ダブルスはつくる」「シングルスは育てる」･･････････････････ 66
コツ22　前衛は読みと鋭い判断、後衛は忍耐力で勝負する ････････････ 68
コツ23　一人でコートに入り、相手に立ち向かう ････････････････････ 70

PART4　心と体 戦術プランの準備
コツ24　試合展開を想定したプランを練る ･･････････････････････････ 72
コツ25　アクシデントに慌てず対処する ････････････････････････････ 74
コツ26　コート上の照明や空調を確認しておく ･･････････････････････ 76
コツ27　試合当日は時間に余裕を持って行動する ････････････････････ 78
コツ28　前日練習は確認程度にとどめる ････････････････････････････ 80
コツ29　ミスジャッジに動揺しないよう練習する ････････････････････ 82
コツ30　自主的に考えて練習に取り組む ････････････････････････････ 84
コツ31　「インターハイ優勝！」と毎日三回唱える ･･･････････････････ 86
コツ32　体調面や練習・試合に対する評価と反省をノートに書く ･･････ 88

PART5　試合中のメンタルマネージメント
- コツ 33　試合での心理状態をチェックする ･････････････････････････ 92
- コツ 34　ポーカーフェイスを心がける ･･･････････････････････････ 94
- コツ 35　闘争心を身につけ、勝利を志向する ･････････････････････ 96
- コツ 36　目線を泳がさず一定にする ･････････････････････････････ 98
- コツ 37　軽く体を動かして緊張感を緩和する ････････････････････ 100
- コツ 38　前向きなセルフトークで気持ちを切り替える ････････････ 102
- コツ 39　深呼吸で冷静さを取り戻す ････････････････････････････ 104
- コツ 40　最後の1ポイントを獲るまで集中する ･････････････････ 106
- コツ 41　プラス思考でバドミントンに向き合う ･･････････････････ 108
- コツ 42　ポジティブな言葉をパートナーにかける ････････････････ 110
- コツ 43　短い時間を有効に使い落ち着く ････････････････････････ 112
- コツ＋α　相手選手の重圧を想像して優位に立つ ････････････････ 114

PART6　チームで活躍できるメンタル
- コツ 44　チームが一体となって頂点を目指す ････････････････････ 116
- コツ 45　常に挑戦者の気持ちで立ち向かっていく ････････････････ 118
- コツ 46　チーム全員が高い意識を持って上達を目指す ････････････ 119
- コツ 47　チームを団結して強くなる ････････････････････････････ 120
- コツ 48　チーム内のランキングで選手を選考する ････････････････ 121
- コツ 49　体力を温存しつつ、勝負所で勝ち切る ･･････････････････ 122
- コツ 50　キャプテンを中心にチームをまとめる ･･････････････････ 123
- コツ＋α　声援に対しては全力プレーで返す ････････････････････ 124
- コツ＋α　環境に感謝して「勝利」をつかみとる ･････････････････ 125

スタッフ
デザイン：居山勝
イラスト：庄司猛
撮　　影：上重泰秀
執筆協力：小野哲史
編　　集：株式会社ギグ

PART1

バドミントンの
メンタルマネージメント

メンタル対談

「強いメンタルを手に入れて試合に勝つ！」

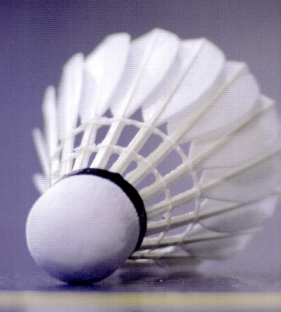

小島一夫（著者・元バドミントン女子日本代表監督）

×

藤田真人（青森山田高・バドミントン部監督）

　ジュニア世代からの育成により、多くのバドミントン選手は、高いレベルの技術や体力を要しているという。しかし世界で活躍する選手になるためには「心技体」のなかでメンタルが重要なポイントになる。
　バドミントン競技の指導者として中学・高校・大学の各カテゴリーで全国制覇し、全日本女子監督として多くのトップ選手を指導した著者が、高校バドミントン界の強豪チーム、青森山田高の藤田真人監督と「勝者になるためのメンタリティー」について語る。

メンタル対談①
心技体のたった2割が勝負を決める

——2016リオオリンピックでの奥原選手の銅メダル、松友・高橋ペアの金メダルなど、日本のバドミントンの活躍が目覚ましい。

小島 日本のバドミントンは確実に進化しています。かつての日本は中国、韓国、インドネシア、マレーシアといった強豪国には歯が立ちませんでした。海外遠征では男子が1回戦、2回戦で負け、女子は良くて3回戦、準々決勝進出止まりでしたね。当時はナショナルチームが充実しておらず、強化の方針もうまくいっていなかった。

——国内の指導者として実績があった著者は、ナショナルチームの代表に抜擢され、大きな成果を出す。

小島 私がなぜ、アジア大会で優勝するような世界で通用する選手を指導できたかというと、選手たちの考え方をグローバルスタンダード（＝世界基準）に押し上げ、選手自体をその気にさせたことです。つまりメンタル面の改善ですね。それまでは「世界で勝つ」なんてあり得ないと、選手はもちろん指導者さえ思っていなかった。その「常識」を覆すことからはじめたのです。

選手にトレーナーをつけたり、ナショナルトレーニングセンターの有効活用も私が推奨した強化方針です。それまでナショナルトレーニングセンターは一年のうち、30日ぐらいしか使っていなかった。しかし今は3分の1ぐらい使えるようになり、それだけ選手を強化できるようになった。指導者が「グローバルスタンダード」を訴えたことにより、選手自身の意識も変わっていきました。国際試合に向かう成田エアポートで不安げな表情を見せるような選手はいなくなりましたね。

―世界のなかで年々、日本人選手のレベルがあがっている。

小島 中国は国の政策により、メンタルが弱い選手が多くなりましたね。技術はあってもメンタル面が脆弱です。現状ではアメリカからメンタルコーチを呼んで絶対王者・中国の復権を目指しているようです。一方の韓国は、バドミントンの競技者の底辺の拡大が図れていない。少ない競技人口で、特定の選手を強化する方針なので強い選手をコンスタントに輩出することが難しい。日本の場合、野球やサッカー、水泳、陸上などを入れていくと六番目の登録者数で20万人を超えています。韓国は20分の1にも満たない数です。日本は人材の宝庫といっても良いでしょう。

―好素材をどのようにして、世界で戦える選手に育成していくのか。

小島 今はジュニアオリンピックという小学生からの大きな大会があり、全体のレベルは高いですね。昔は高校からバドミントンをはじめてもナショナルチームに入れるような選手もいましたが、今はジュニア世代から育成された選手でないと難しい。ゴルフで「ボーンゴルファー」と言われるように、バドミントンでは「ボーンシャトラー」という、生まれながらにしてシャトルと戯れているような、高い技術を持った選手たちが活躍しています。体力面においても、年齢を重ねていく過程で強化されていくので問題ありま

全日本女子チームの監督経験がある著者

せん。

―残すところは「心技体」の心＝メンタル部分となる。実際の試合の中でメンタルが重要になる場面とは。

藤田 一つは競った場面です。**競った場面で選手が逃げないメンタルを持っているか。そこで1失点しても、それ以降で逃げない・引かない・怯まないメンタルを持っているか、そのメンタルをしっかり作ってきたかが大事だと思います。**小島先生から教わった「勝っている時はもっともっと。負けてる時はまだまだ」という、本当にシンプルな言葉ですが凄く大事なことだと思います。

小島 守るも攻めるも淡々とプレーする。攻めるゆとり、守る勇気ですね。「さぁ、打ってみろ」という余裕が相手のミスを誘ったり、判断を鈍らすわけです。それによって、こちらは先を読むことができ、精神的にも優位に立てる。藤田先生の方針でもありますが、練習が一番辛くて、試合が楽しいというところまで持って行けることが理想ですね。

メンタル対談②

1本でも負けたくないという選手が大成する

—青森山田高で活躍し、トップアスリートに成長していく選手は、メンタル面で何が違うのか。

藤田 単純に思うのは「負けず嫌い」なところですね。1本でも負けたくないという選手は大成しますね。勝負が上手い選手というよりは、**相手を気持ちで上回れるところ。そういうプレーヤーとしてのベースがあって、いろんなことを吸収できる選手は、キッカケを与えたときにどんどん成長します。**頭の良さを持っている選手ですね。一方で勝ちきれない選手は、自分に嫌気がさしていたり、自分を責めたりして前向きに取り組めていない。それを切り替えるためには、セルフトークやポジティブシンキングで改善していくしかありません。

青森山田高・藤田監督

—世界で活躍しているトップ選手は、どのような方法・考え方でメンタルに取り組んでいるのか。

小島 強い選手、勝てる選手になるためには10ある要素のうち、8から9くらいは技術と体力が占めています。最後の1〜2割程度、これが重要なメンタルです。前述したようにトップ選手の多くがジュニア世代からの育成で技術・体力は強化されていますから、このメンタルをどう強化していくかが重要になります。

いま世界で勝っている選手たちは、メンタルが強いですね。山口茜選手は、攻撃的で最後まで負けることを考えず、攻め倒すことを考えてプレーできます。オリンピックで活躍した松友・高橋ペアはとても戦闘的です。松友選手はゾーンに入ると、集中力を発揮します。奥原選手は「サポーターイマージェリー」という、自分を支えてくれた人や物に感謝する気持ちで、コートに入るときは、「今日もバドミントンがプレーできる、ありがとう」「私はこのコートで最高のプレーをします」とつぶやいてプレーに入ります。セルフトークとサポーターイマージェリーをマッチさせたメンタル術です。それぞれの選手が自分にあった方法、考え方で心

を整え、メンタルをマネージメントしているんですね。

—高校バドミントン界のトップ青森山田高は、どれくらい前からメンタル面の強化を意識している？

藤田 監督に就任した当初からメンタル面は意識して指導にあたっています。試合で勝つには技術や体力も必要ですが、相手の心理を読んだりとか、こちらの心理を読ませたりとか、勝負に勝つためのメンタルの重要性を選手たちには説いています。

—部活動という大所帯で選手全員のメンタルを強化していくのは難しい作業では。

藤田 30名以上いる部員たちをまとめていくためには、ひとつの大きな目標である「日本一」「全国優勝」という言葉をキーワードにしています。下級生なのか、上級生なのか、調整期なのか試合直前なのか時期や段階、過程によって変わりますが、最終的な目標は全員同じですからミーティングや指導するときには意識しています。

—実際に青森山田高のメンタルの強みはどこにあるのか。他校と比べて、青森山田の選手たちの強い部分は。

藤田 まずうちに入る選手たちは、理由がないと絶対に来ない土地(本州北端)ですから、選手自身の覚悟はもちろん、親のサポートについても素晴らしいと思います。そのなかでレベルの高い選手同士が、気を抜けない、濃密なトレーニングをしているわけですから練習の量もクオリティーも自然とあがります。練習が終わり、コートを離れた後にも学校や寮の規則があり、何かを犠牲にしながらバドミントンと向き合っています。でも、こうしてやらないと日本一になれないし、もしよそ見しながら簡単に勝ってしまっても伸びしろはなく、後から何も返ってきません。

PART1 バドミントンのメンタルマネージメント

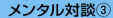

自分にあった方法・考え方で メンタルをマネージメントする

部員全員が「日本一」を目指して、日々の練習に励む青森山田。コートを出るときは一礼して「感謝」の気持ちを表すことも忘れない。

――指導者としては選手のメンタルがどのような状態にあるのか、常に理解していることが重要。

藤田 春の全国選抜前は、日本一になるためのチーム編成を意識しています。ダブルスのペアリングも課題です。一年生でメンバーに入った選手には、「やらなければならない」という大きな重圧がかかりますが、自分だけで克服できるよう、あえてアドバイスはしません。逆にシングルスで活躍してもらいたいエースには、試合目前ではしっかりエースとして認めるようにしています。そうすることで、もう一段メンタルにギアが入り、トップコンディションで試合に入ることができます。

　また、選手をまとめるキャプテンも非常に重要な存在です。私の考えの理解者であり、こちらのイメージ、自分が導きたいチームの方向性をイメージし、それを言葉にしてチームメイトをけん引してく

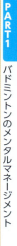

PART1 バドミントンのメンタルマネージメント

れます。

小島 さらに指導者としては、相手の下調べや対策、選手をいかにやる気にさせるかが大切です。ある国際大会で相手選手のコンディションが悪いという情報を元に、私は戦術プランを立てました。それは第一ゲームを徹底したクリアーでつなげるというもので、勝負を第二ゲーム以降と踏んでいたのです。実際に対戦相手の練習を見ると14〜15本ぐらいのラリーしかしていない。第一ゲームで30本以上のラリーを五本続けたら、相手はスタミナが切れてしまいました。結果は、オリンピック金メダリストを破る試合となったのですが、**事前の準備と分析、そして選手を信じ込ませ、「勝てる」というメンタルに導いたことが快挙につながった**のではないかと考えています。

17

バドミントンの競技特性

守る勇気と攻めるゆとりを持ってポジティブにプレーする

バドミントンは卓球やテニスと同じでネットを挟んだ対人競技で、自分が甘く打てば厳しく返ってくるし、厳しく打てば甘く返ってくるスポーツだ。言い換えるなら「陣地取りゲーム」のようであり、コートの広さをうまく使いながら、相手を動かしてミスをしやすい状況をラリーでつくり出していく。

バドミントンのゲームの本質としては、いかに相手を崩し、裏をつくか、下半身と上半身をシンクロさせないような、アンバランスな体勢にさせるがポイントとなる。そのため常に冷静に配球を考えてプレーし続けられる「心技体」が選手には求められる。

バドミントンは、最後の1点目をとるまで試合が終わらないため、体力はもちろんメンタルの消耗も激しい競技。

メンタル CHECK バドミントンはマッチポイントを奪うまでは「勝者」が決まらない。21点目を意識したとき、急にプレーが守りに入ってしまったり、ミスが続いてしまうのはよくあることだ。

POINT 1
21点を先にとることで勝者が決まる

試合は、3ゲームマッチで行われ、先に2ゲームを奪ったほうが勝つ。ファーストゲーム（第1ゲーム）、セカンドゲーム（第2ゲーム）と進め、1対1になった場合は、ファイナルゲーム（第3ゲーム）が行われる。1ゲームは21点、先に21点を取った方がそのゲームをとる。

POINT 2
相手の裏をつき相手ショットを読む

バドミントンのゲームには、シングルスとダブルスがある。ネットを挟んだ対人競技のため、サービスやレシーブ、ラリーで相手の裏をついたり、逆に相手ショットを読むことが得点には必要だ。平常心を維持しつつ、頭で考えたプレーを的確に体現していくことが勝利につながる。

POINT 3
コート上は一人で考えポジティブにプレーする

バドミントンには選手交代や戦術的なタイムなどが認められていない。シングルスでコートに立った選手は、たった一人で考え、プレーし続けなければならない。相手の技術や体力に対して、自分がどう攻めていけば勝てるのか判断し、常にポジティブな姿勢でゲームにのぞむ。

プラスワン +1
団体戦では個人戦とは違うプレッシャーがある

「勝ち」を意識したとき、コートでプレーする選手には大きな重圧がかかる。団体戦でチームの勝利がかかった場面では、個人戦以上のプレッシャーを受けてしまう選手がいる。そのような時、チームやコーチのため、応援してくれる学校のためなどプレッシャーを分散することに努める。

※競技ルールは大会などによって異なる場合がある

MENTAL コツ 02 — バドミントンとメンタルの関わり

メンタルが試合の結果を大きく左右する

スポーツに重要な「心技体」の充実は、バドミントンにおいても例外ではない。時間に制限のある競技（サッカーやバスケット）ではないため、**マッチポイントの得点を獲らなければ、試合には勝つことはできないため、最後の1ポイントまで気を抜くことができない。**

その一方で体力的な消耗に耐えつつも、メンタルをコントロールし、的確なショットの決断をして、常に高いパフォーマンスを維持しなければならない。

対戦相手との優劣やプレーの好不調だけでなく、メンタル面の緊張・動揺が結果を左右する。

バドミントン選手は、試合のなかで常に状況を把握し、分析、判断を瞬時に行っている。

メンタル CHECK

ネットを挟んで相手と対峙し、最後の1ポイントが決まるまで勝敗は決まらない。時間制限もないため、勝ち切るための技術・体力はもちろん、試合展開に応じた心のコントロールが大切だ。

POINT 1

状況の把握・分析・判断を瞬時に行う

バドミントン選手は、試合のなかで常に状況を「把握」しながら「分析」し、最終的には「判断」することが求められる。ショットを打つまで、この一連の流れを瞬時に行うため、常に頭と体を働かせてプレーしなければならない。頭を使うスポーツといっても過言ではない。

POINT 2

メンタルを整えてパフォーマンスを維持する

試合が拮抗して長引くと、体力は大きく消耗して判断スピードが落ちる。また得点差が大きくなると、注意力が低下して集中力を維持できなくなる。このような状態になると「もうダメだ…」と弱気になってしまいがちだが、「相手も疲れている」と切り替えて、ゲームを勝ち切る。

POINT 3

適度な緊張感からゲームを楽しむ

スムーズなラケットワークを実現するためには、「フットワーク」と「ヘッドワーク」が重要になる。微妙なラケット操作が必要なショットを打つときでも、常に相手と駆け引きしながら、ゲームに対する適度な緊張感と楽しむゆとりを持つことが成功のコツだ。

プラスワン +1

シングルスとダブルスで違うメンタルへの作用

バドミントンでは選手交代が認められていない。試合中にうまくいかないことがあっても自分ひとりで考え、プレーし、乗り切らなければならない。ダブルスの場合はパートナーがいるが、間違った方法でコミュニケーションをとると悪い方向に作用することがある。

MENTAL コツ 03 プレー中のメンタル
ゲーム中は常に平常心でプレーすることを心がける

試合前半に調子が良いときほど、後半で体力が落ちてしまい、頭のなかでは前半のようなショットが打てるというギャップが生じてしまう。

体力が落ちているにも関わらず、前半と同じようなフォーム、感覚で打てるはずはない。結果的にはミスが続き、得点では相手に追い上げられると、さらにメンタルにも重圧がかかり、リードはないに等しい状態となってしまう。

そうならないためにもゲーム終盤の18点、19点、20点のところのマネージメントが大切だ。そのため前半のミスは気にせず、後半ではミスしないことを意識する。

体力の消耗とあわせ、メンタルも低下しがちになる。特に勝負どころのミスは大きなダメージになる。試合前半のミスを後半に繰り返さないことが大事。

メンタル CHECK

3ゲームマッチ（2ゲーム先取）で行われる試合は、選手にとって長丁場だ。自分のコンディションや対戦相手との駆け引き、得点状況によってもメンタルは目まぐるしく動く。

POINT 1

前半は緊張とミスを許容し後半勝負に持ち込む

ゲーム開始直後は、どうしても体が硬くなり緊張も強くなる。そのような状況でミスが続くと、あっという間に点差が広がってしまう。そこで焦りを感じてしまうのは禁物。前半のミスは許容し、後半に同じミスをしないようメンタルを切り替え、後半勝負に持ち込む。

POINT 2

後半は自分の心と体と対話しメンタルをマネージメントする

勝負どころで体力も気力も落ちてしまうゲームプランでは勝ちきれない。体の温まっていない試合前半はセンターライン中心に打球し、ミスを最小限に抑えたラリーに徹する。体が温まった後半は、いつものバドミントンで攻撃に転ずるなどのマネージメントが大切だ。

POINT 3

試合中に「想定外」があっても平常心でプレーし続ける

ゲーム中は、あらゆる事態が起きる可能性がある。例えば審判が自分と違う判定をジャッジしたり、対戦相手が痛めて棄権すると思い込んだ結果、試合への集中を欠いてしまうことも。想定外のことがあっても、「これも想定内」「誰でもミスはする」というメンタルが必要だ。

プラスワン +1

前半のミスは後半にミスしないためと考える

体力の低下とともにフォームが乱れたり、ショットの選択や狙うコースをミスしたり、勝ちを意識するがゆえに萎縮したりすることもある。「心技体」のバランスが崩れると、ひとつ一つのミスに気持ちが動揺する。前半のミスは後半にミスしないためのものと理解しよう。

メンタルに影響する外的な要素

コツ 04 環境に惑わされず感謝の気持ちでプレーする

バドミントンの試合は体育館のような会場に、出場する選手はもちろん、応援する人や指導者、大会運営者など多くの人が集まって行われる。施設によってはコートごとに照明の入り方や空調の風の流れも違うことがあるので、試合前に把握しておくことが大切だ。

そのような試合会場でメンタルをコントロールし、相手に対して自分のランキングの優劣を意識せず、平常心で試合にのぞめるかがポイント。

また試合中は相手選手を応援する声を気にせず、プレーに集中し、自分に対する声援は力に変えていく。

試合に集中できていないときは、対戦相手以外の要素にメンタルが影響を受けている可能性がある。試合のなかで気持ちを切り替えられることがポイント。

メンタル CHECK バドミントンは、体育館などの試合会場でたくさんの人を集めて行われる。そのためメンタル面に影響を及ぼす外的な要因があることを理解して試合にのぞむ。

POINT 1

対戦相手に余分な感情を持たない

対戦相手が強ければ「恐れ・あきらめ」という感情が生まれ、弱ければ「侮り・油断」という気持ちが生じる。どちらも試合にのぞむにあたっては、不必要な要素だ。ランキングや過去の対戦成績に関係なく、フラットな気持ちで試合に入ることができるようにする。

POINT 2

プレッシャーをエネルギーに変える

まわりの人の声援や目は、場面によっては大きな影響を及ぼす。はじめての決勝戦では、たくさんの観衆がいるコートでプレーすることに緊張感が増すだろう。ときには相手選手に対する声援やアドバイスが耳に入ってしまい、プレーに迷いが生じてしまうこともある。

POINT 3

施設の環境を理解して心の準備をしておく

試合会場は施設によって、照明の明るさや空調の風の流れが違う。同じ体育館であってもコートによって違いがあり、プレーに不利益が生じることもある。まずは施設の環境をチェックしておく。そうすることで施設上の不利益があったとしてもメンタル面の動揺が小さくなる。

プラスワン +1

バドミントン女子の奥原選手のサポーターイマージュリー

メダリストの奥原選手は、お辞儀をしてからコートに入り、「今日もバドミントンをプレーできる、ありがとう」「このコートで最高のプレーをします」とつぶやくという。対戦相手や環境、サポートしてくれる人に感謝の気持ちを表して、競技者として高いメンタリティーを維持する。

PART1 バドミントンのメンタルマネージメント

MENTAL コツ 05

心理テスト

心理的競技能力テストで今の自分を知る

　バドミントンの試合で自分が不安を感じるできごとや場面を理解しておくことが大事。それがメンタル強化のスタートであり、どのような考え方や手法、目的でメンタルマネージメントに取り組むかの指針となる。

　心理テストはそうした自分のメンタルの強い部分、弱い部分を把握するための手助けとなる。

　心理的競技能力診断検査（DIPCA）は、スポーツ選手の心理傾向を分析し、心理的競技能力（精神力）を細分化した内容で診断するテスト。バドミントン選手として実力を発揮したり、大事な試合で力を出し切るために必要なメンタルを把握するのに役立つ。

トップアスリート

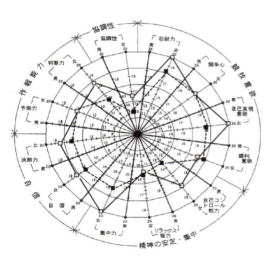

オリンピック出場を目指しているバドミントン選手の心理的競技能力の尺度別プロフィール。

一般的なアスリート

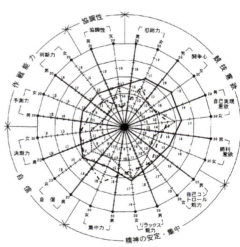

有望な選手だが、実力が伸び悩んでいるバドミントン選手の心理的競技能力の尺度別プロフィール。

メンタル CHECK

自分のメンタルの強い部分、弱い部分を理解した上で、メンタルトレーニングに取り組むこと。何も考えずマネージメントしたところで有効な成果は得られない。

心理的競技能力診断検査：トーヨーフィジカル

POINT 1
バドミントン選手として必要な心理的競技能力を知る

DIPCAは「忍耐力、闘争心、自己実現意欲、勝利意欲、リラックス能力、集中力、自己コントロール能力、自信、決断力、予想力、判断力、協調性」という12の内容に分けて診断する。スポーツの試合場面についての質問を読み、回答欄に答えを記入していく。診断結果は尺度別プロフィールとして表現され、アスリートの心理的競技能力がわかる。

POINT 2
メンタルの疲労度をチェックしコンディションづくりに役立てる

POMSはトレーニング期間中の心の状態を知るために用いられるテスト。抑うつや敵意、活気などの尺度で心理的状態を診断する。アスリートとしては、メンタル面の疲労度や競技に対してのモチベーションの高さを把握する指針となる。定期的に行い、練習量の調整やコンディションづくりの参考にすると良い。

POINT 3
指導者は心理的競技能力を把握してコーチングする

心理テストでアスリート本人が、メンタルの特性や状態を理解することはとても有効だ。心理テストで知り得た情報を元に、その人の特性にあったメンタルトレーニングを取り入れることがポイント。指導者としても、選手の心理的競技能力を知っておくことで、選手のメンタル面やコンディションを考慮した質の高いコーチングが可能になる。

PART1 バドミントンのメンタルマネージメント

メンタルを強くするプロセス①取り組み

コツ 06 日常からメンタルマネージメントに取り組む

バドミントンのプレー向上とメンタルの結びつきが理解できたら、さっそくメンタルマネージメントに取り組む。自分がどのような場面でメンタルが動くのか、把握した上でメンタルトレーニングに励むことが大切だ。

メンタルにストレスがかかる場面が「試合前なのか、試合が始まってからなのか」「相手と競っているときなのか、追い上げられたときなのか」など状況を見極めてメンタルトレーニングを行う。

そのためには、自分のメンタルがどのような状態か、日頃からチェックして大きな試合、大会にのぞむことができるようステップアップしていく。（PART2参照）

日頃から自分のメンタルに関心を持ち、いくつかの対処方法を知っておくことで、バドミントン選手として成功できる。

メンタルCHECK 大事な場面だからといって、目的を理解せず深呼吸を繰り返しても効果は得られない。日頃からメンタルに好影響を与えるさまざまな技法（＝トレーニング）を試しておく。

POINT 1
日常から自分のメンタルの動きを理解しておく

　まずは自分が緊張状態にあるのか、リラックス状態にあるか把握することからスタート。不安を感じるのが試合前日なのか、試合当日で相手が決まったときなのか、試合がはじまってプレーを開始した直後なのかによっても、違ってくるので注意する。そのためには日頃から脈拍を測定したり、体調管理ノートをつけてコンディションを把握しておくこと。

POINT 2
メンタルに負荷がかかる場面を想定して準備する

　「私は緊張しません」という選手に限って、本番の試合でいつもの力を出せないことがある。「緊張している」と気がついたところでは、どうにもならない。メンタルに負荷がかかる場面をあらかじめ想定し、回避するための技法をマスターしておくことが大切だ。あるいは、お決まりの動作や行動パターンを試合時に取り入れることで、いつも通りのプレーを可能にする技法もある。

POINT 3
ストレッチを取り入れて心と体と対話する

　ストレッチはケガの防止や疲労軽減に効果があるだけでなく、メンタルにも好影響を与えるという。筋肉のどの部分が伸びているか、疲労しているのか体と対話しながら進めていく。ゆっくり呼吸しながらストレッチしていくことで、メンタルのリラックス効果も期待できる。練習の前後はもちろん、試合前後にもストレッチを行い、自分の心と体に向き合う。

PART1　バドミントンのメンタルマネージメント

メンタルを強くするプロセス②考え方

自信を持てる考え方を身につける

　自分のウィークポイントを理解し、改善のためのメンタルトレーニングを継続していけば、ある程度の効果が表れてくる。しかし根本的な部分でマイナス思考の選手は、プレイヤーとして決して成長できない。常にプラス思考でバドミントンに向き合うことが大切だ。

　そのためには、大きな目標を設定するところからスタートする。シングルスやダブルス、前衛や後衛など、どのような選手として成功したいか、チームのなかでの役割を意識しつつ、成長曲線をイメージしながら目標に向けて練習を重ねていく。（PART3 参照）

マイナス思考は何も生み出さない。自分に自信を持って、バドミントンを通じ人として成長することを心がける。

メンタルCHECK　入部当初は同じ実力でも、取り組み方ややる気の違いで実力に大きな隔たりが出てしまう。バドミントンに心から向き合い、成長していくための考え方を身につける。

適度な緊張は
パフォーマンスをあげる

「不安や緊張」はメンタル的に避けたい心理状態といえるが、勝ちたいという結果を求めているからこそ、生じる反応といえる。一方で「あきらめや怒り」は結果を求めるものではないので、一度、その状態に陥ってしまうと、メンタルを取り戻すのが難しい。「不安や緊張」状態をメンタルが弱っていると考えるのではなく、スポーツにおいて優れたメンタルである「挑戦」状態のひとつ前ととらえよう。

マイナス思考を脱却し
プラス思考でプレーする

マイナス思考に陥りやすい選手は「このポイントを失ったら試合は、ほぼ負けだ」「このタイミングで前に落とされたら、足が追いつかないな」などと、悪い方向に予測を立てしまいがち。結果プレーに自信がなく、思い切り打てる場面でも集中できない。目先のポイントに集中し、下手な予測は立てないこと。予測するなら「今度はうまく対応できそうだ」「この試合を落としても、すぐに試合がある」など、プラス思考に切り替える。

バドミントンを通じて
人として成長する

設定した目標が、計画通りにクリアできるとは限らない。より具体的で綿密なスケジューリングがポイントになる。計画がうまく行かないときは、立ち止まって考え、改善していくことが大事。また所属するクラブ(部活動)のなかで、自分がどのような役割か理解することも忘れてはならない。ただ闇雲にバドミントンで上達すれば良いというわけでなく、人間として成長するプロセスをバドミントンのスキルアップと共に歩んでいくことが大切だ。

メンタルを強くするプロセス③準備

コツ 08
心を整えて念入りに準備する

　試合でメンタルが動揺して、マイナス思考に陥るパターンとして、外的な要因によるメンタルの低下があげられる。ケガやアクシデント、審判のミスジャッジ、応援やヤジによる集中力の低下など、どれもきっかけは自分以外のものだ。

　予期せぬ事態に悪い方向で反応してしまうと、試合中でも心が乱れ、一旦落ちてしまうとなかなか制御がきかなくなるので注意が必要だ。

　このようなケースに備え、試合で起きる外的な要因を想定したトレーニングや考え方を身につけて念入りに準備しておくことが大切だ。（PART4参照）

突然のアクシデントは、そのまま試合を落とすことにつながる。試合中に起こりうるアクシデントをできる範囲で想定しておくことが大切だ。

メンタルCHECK　日常のトレーニングにひと工夫入れたり、試合スケジュールに合わせて、生活リズムや練習のタイムスケジュールを変えることで、より実戦をイメージした準備ができる。

POINT 1 ケガや道具の不備などを予測して試合にのぞむ

ケガはその状態にもよるが、決して無理はしてはいけない。軽い症状(マメや軽度の炎症など)ならテーピングで保護して試合にのぞむことも可能だ。ラケットやウェア、シューズに関しては予備を持っておくことで不備への対策はできる。起こりうる事態を予測して、その状況に似せた環境でトレーニングするのも方法のひとつ。通常練習に加えて行う。

POINT 2 コートの不利益を把握して臨機応変な戦術プランを立てる

シングルスの場合、コートではたった一人で対応しなければならない。コートで起こりうる事態をイメージし、準備しておくことが大切だ。体育館の空調や照明など、コート上の不利益などは、仮に対策がとれない事態であっても事前に把握しておくことで、気持ちに余裕が生まれる。対策がとれるようなコートなら、臨機応変な戦術プランを用意しておくことで試合を有利に運ぶことができる。

POINT 3 常に試合に勝つための努力を怠らない

試合中に相手がケガをしたり、審判にクレームをつけるなどして、メンタルが動揺している様子を見て、「この試合はもらった」と思い込んでしまうことがある。油断は禁物。一度は痛めた相手選手が盛り返し、すばらしいプレーをすれば一気に追い上げられたような気分になってしまう。真の目的は試合に勝つことではなく、勝つために努力することだと理解して、最後の最後まで気持ちを切らさず、心を整えておく。

メンタルを強くするプロセス④闘争心・平常心

コツ09 試合では闘争心・平常心を維持して戦う

　試合では「全力で、相手に勝つ努力をする」という闘争心と勝利に対する志向性を持つことが大切だ。試合前からあきらめていたり、やる気にならないのは最低のメンタル状態だ。

　強い相手には怯むことなく、ランキングが下の選手でも油断することなく、1ポイントに集中してプレーを続けることが勝利の近道。

　仮にミスしたときや大事なポイントを失ったときでも、動揺したり、気持ちを切らしたりせずに、平常心を持ち続けること。「闘争心と平常心」をキーワードに常に全力でチャレンジし続ける。(PART5 参照)

試合中は常に闘争心を持ってプレーすることが大事。しかし必要以上のヒートアップは禁物。目先のポイントに一喜一憂しない平常心でメンタルをコントロールすることも必要だ。

メンタルCHECK　勝っていれば油断や焦りが生じたり、負けていれば、あきらめの感情が生まれてしまう。点差に関わらず常に闘争心と平常心のメンタルを維持し、1ポイントごとにメンタルマネージメントできる術を身につける。

POINT 1

あきらめの感情を捨て
チャレンジする気持ちを持ち続ける

闘争心を持ち続け、チャレンジするつもりでショットを繰り出すこと。勝っているからといって、極端に守りに入ったり、弱気なショット選択を繰り返していてはゲームに勝ち切ることはできない。接戦になったとしても、「ここまで、よく頑張った」とあきらめるのではなく、「この壁を乗り越えるために、たくさんの努力をしてきた」と、シャトルとラケットの出会いに集中する。

POINT 2

マイナス思考から
切り替える

試合中に平常心を保ち続けられるかがポイント。メンタルが一度、悪い方向に傾いてしまうとプレーに集中できなくなり、クオリティーも低下する。相手に追い込まれたり、自分のミスにより心が動揺しても「平常心」を取り戻す術（技法＝メンタルトレーニング）を身につけておくことが大切だ。状況によって効果が異なるので、場面に応じたマネージメントを行う。

POINT 3

ペアが力を発揮できる
コミュニケーションを行う

ダブルスの試合の場合、1＋1が2以上の相乗効果が生まれることもある。しかし二人の相性やプレーの特徴、試合中のコミュニケーションがうまくいかないと、それぞれ持っている力を発揮できないばかりか、マイナス思考でのプレーになってしまう。試合中のペアに対する声掛けや戦術の確認を徹底して、プラス思考でプレーできる強いダブルスペアを目指す。

メンタルを強くするプロセス⑤人間力

チームの一員として
バドミントンに携わる

　バドミントンは基本的には個人戦だが、大会によっては団体戦があり、チーム内の実力順位で出場できるかどうか選抜される。強豪チームの大きな部やクラブほどライバルが多く、選抜されるためにはバドミントンの実力はもちろん、人間力が伴っていなければならない。

　仮にメンバーから外されてもチームの一員としてサポートに徹し、自分に何が足りなかったのか考えることが大事。

　次のメンバーに選ばれるためには、どのような努力をすれば良いのか、常にプラス思考でバドミントンに取り組んでいくことが求められる。（PART6 参照）

メンタルCHECK 強豪チームで選抜されるためには、試合で結果を出せる実力が求められる。指導者からみて、メンタルが不安定な選手は実力があってもメンバーに選びにくい。

PART2

日常から取り組む
メンタルトレーニング

メンタルマネージメント①脈拍測定

コツ 10 脈拍を計って メンタルを把握する

　自分が緊張しているかどうかは、脈拍の速さによって判断できる。日頃の数値を目安にして、脈拍が速ければ緊張気味、同じか遅ければリラックス状態にある傾向がある。試合が近づけば、脈拍に変化が現れ、気づかないうちに緊張が高まってくる。そのためリラックス状態の脈拍数を知っておくことが有効だ。

　ただ、脈拍自体はメンタルの状況だけでなく、運動量や体調、気温などによっても変化する。そこでたとえば「朝起きてすぐの1分間」など、同じ条件下で計測し、記録しておくと自分のメンタルコンディションを把握しやすくなる。

脈拍は簡易的な方法で計ることができる。自分の体調管理とあわせ、メンタルの緊張度を把握するために測定してみよう。

メンタル CHECK

試合が近づくとバドミントン選手のメンタルは自然と変化する。自分のメンタルの状態を把握するためにも、生体反応をチェックすることが有効だ。脈拍や体温は、手軽に計ることができる。

POINT 1
あらゆる状況で計り メンタルを把握する

脈拍は大きな大会一か月前から計測し、体調管理ノートなどにまとめておく。そうすることで試合が近づくにつれて、メンタルの緊張状態が把握できる。可能なら、朝起きてすぐや就寝前、練習前後や激しいトレーニングの直後に脈拍を計って、その結果をデータとしてまとめておくと、より詳しくメンタルを把握できる材料が増える。

POINT 2
簡易的な方法で 脈拍を計る

脈拍を簡易的に計るときは、手首の動脈に指を添えて脈拍の回数を計る。健康な10代から成人までの安静時の脈拍数は、1分間に60〜100回。楽な運動で135回、きつい運動で170回が目安と言われている。※どれも個人差あり。朝起きてすぐに脈拍1分で計った場合、選手によって数値に違いがあるが、試合が近づくと5拍ぐらいの変化が現れることもある。

POINT 3
同じ条件下で計り コンディションを把握する

25mダッシュを4本行った後、脈拍1分間を計ってみると試合に近いコンディションがチェックできる。日頃の数値を目安にして、脈拍が速ければ緊張気味、同じか遅ければリラックス状態と判断できる。脈拍自体はメンタルの状況に加え、運動量や体調、気温などによっても変化があるで、できるだけ同じコンディション下で計ることが大事。

PART2 日常から取り組むメンタルトレーニング

メンタルマネージメント②深呼吸法

コツ 11 深呼吸を効果的に取り入れる

　緊張した場面では、自然と呼吸が浅くなったり、不規則になったりする。その自覚が出てきたら、深呼吸によって緊張しているメンタルをやわらげることができる。深呼吸はいつでも誰でも気軽にでき、難しいスキルも必要ない。

　基本的なリラクゼーション法とも言える深呼吸は、お腹を膨らませるように腹式呼吸で行うのがポイント。何度か繰り返していくと、気持ちが落ち着きリラックスできる。同時に腕や肩、首などを軽く振ったり、回したりするとより効果的だ。軽いジャンプを入れると、さらに体をリラックスできる。

大事なポイントでは、どうしても肩に力が入り過緊張に陥ってしまう。構えに入る前にリラックスできるいくつかの技法を試してみよう。

メンタルCHECK　深呼吸は、試合前やここ一番という場面で緊張しているとき以外にも、不安があるとき、思うようなプレーができないとき、審判のジャッジに不満を感じたりしたときなどで、負のメンタルを軽減させる効果がある。

腹式呼吸で鼻から吸い口からゆっくりと吐く

深呼吸はお腹を膨らませるように腹式呼吸で行う。腹式呼吸は精神をリラックスさせ、血圧の上昇を抑え、脳を活性化して心身の調子を整えるとされている。「1、2、3」で鼻から吸い、2秒間止めた後、「4、5、6、7、8」で口から吐く。これを何度か繰り返すと気持ちが落ち着く。意識の重点を〝吸う〟ことよりも〝吐く〟ことに置くとよい。

肩の上げ下げを加えて肩周辺の緊張をほぐす

肉体や精神にストレスを受けると、筋肉を緊張させる自律神経の働きが活発になり、肩周辺の動きが硬くなってプレーに支障が出る。そこで深呼吸をすると同時に、肩の上げ下げを加えて肩の緊張をほぐす。息を吸いながら肩をゆっくり上げ、吐くときに肩を下ろす。肩を上げるときは首をすくめないように注意。日々の練習後のストレッチにもなる。

軽いジャンプを取り入れさらにリラックスする

深呼吸とともに、その場で行う軽いジャンプも緊張感を緩める効果を生む。全身の力を抜いてジャンプをくり返すことで、筋肉を柔らかくしたり体を温めたりして肉体的なこわばりを和らげ、それが精神的なリラックスにつながる。高さや速さなどジャンプに変化をつけると、さらに効果的。試合前やポイント間、タイム時などに取り入れよう。

メンタルマネージメント③瞑想

コツ 12 心を静めて無心になる

　心を静めて無心になる「瞑想」は、深呼吸とともに代表的なメンタルマネージメントだ。一度、心を無にすることで、自分がやるべきことに意識を集中しやすい状況を作る。人の体はマイナスのメンタル要素が加わると緊張して硬くなるが、瞑想は副交感神経の働きを優位にし、自律神経のバランスを整えて体を硬くする要素を取り除く。

　気軽にできる瞑想は、試合前や眠れないときなどに有効。日頃から行ってリラックスした感覚が身につくと、試合の緊張したタイミングでもメンタルをコントロールできる。

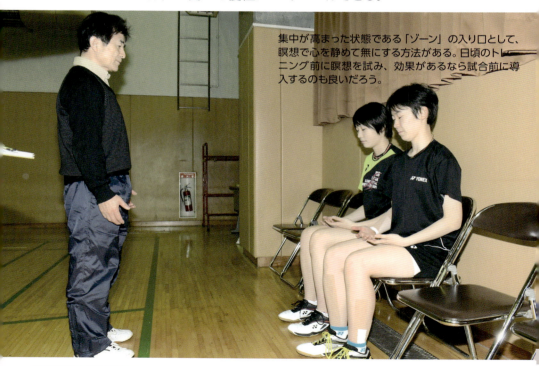

集中が高まった状態である「ゾーン」の入り口として、瞑想で心を静めて無にする方法がある。日頃のトレーニング前に瞑想を試み、効果があるなら試合前に導入するのも良いだろう。

メンタルCHECK　瞑想はいつでも気軽にできるが、最も効果があるのは気も空気も汚れていない早朝がよいと言われている。試合当日は予定より10分ほど早く起床し、テレビなどの雑音のない場所で瞑想を行ってみよう。

イスに座って楽な姿勢で瞑想に入る

瞑想は、椅子に座って行っても床に座って行ってもよい。できるだけ背すじを伸ばし、楽な姿勢で行うことが重要。姿勢が悪いと、体をめぐる気（エネルギー）がブロックされてしまうからだ。波や鳥のさえずりなど自然の音をバックに流すと、気持ちを落ち着けやすい。

手をモモの上に置き温かくなるのを感じる

モモの上に手のひらを上にして置き、ゆっくり呼吸をしながら手に気持ちを集中させる。やがて手のひらが温かくなってくる感じがすれば、リラックスできてきた証拠だ。人は寝ているとき、リラックスして血の巡りが良く、手足が温かいが、それと同じ状況を作り出す。

おでこが涼しくなればリラックスできている状態

瞑想のレベルが上がってくると、気持ちが落ち着くにしたがっておでこが涼しくなってくる。緊張しているときはいろいろと考えてしまい、交感神経が活性化して一種の「のぼせ」状態になるが、リラックスするには、逆に頭をクールにしなければいけない。

脱力によって緊張をほぐす「筋弛緩法」も効果的

体の一部分に5～6秒間、ギューっと力を入れ、一気に力を緩める。この「筋弛緩法」を繰り返すことで、体のこわばりがほぐれ、緊張感から解放される。うつ伏せになり、力を入れてから、パートナーに両足を持って左右に振ってもらい、筋肉をリラックスさせるのも1つの方法だ。

PART2 日常から取り組むメンタルトレーニング

メンタルマネージメント④ルーティン

同じ動作で平常心を維持する

ルーティンとは、決められた一連の動きや動作のこと。試合前やプレー中に決まった手順で、いつもと同じ行動をとることにより、普段通りの心理状況でプレーできるのがルーティンワークだ。メジャーリーグで活躍するイチロー選手は、バッターボックスで構えるまでに15種類以上のルーティンを行うという。

ただ、「この動きをすればいい」という、誰にでも共通する効果的なルーティンはない。試合に入るまでの行動やプレー中の動きで、自分に合ったルーティンを確立し、その都度行うクセをつけて良いプレーにつなげていこう。

緊張が高まると呼吸が浅く、速くなりがち。構えに入る前に大きく深呼吸したり、グリップに息を吹きかけるルーティンは、緊張を軽減してくれる。

フーッ

メンタル CHECK　バドミントンのルーティンは、試合中のサーブやレシーブに入る直前など、緊張しそうな場面に行うのが有効。プレーに入るときに不安なく「いつも通り」と感じられれば、緊張が和らぐ。

POINT 1
構えに入るときに深呼吸
常に次のポイントに集中する

ポイントごとに深呼吸を行うのもルーティンになる。とくにミスをした直後は引きずることなく、気持ちを切り替えられる。良いプレーができているときも油断しないために深呼吸は有効だ。大切なのは常に次のポイント。自分が今、何をするべきかを冷静に考えよう。

POINT 2
良いプレーをした試合から
ルーティンを探し出す

たとえば構えに入る際、シューズの裏をさわったり、グリップに息を吹きかけたりする行為をルーティンとしている選手も少なくない。良いプレーをしている試合をチームメイトに見てもらったり、映像を見返したりして、自分のルーティン作りのヒントにするとよい。

POINT 3
お決まりの動作で
心を落ち着ける

ルーティンは試合中に行うものばかりではない。「シューズ底を湿らせてからコートに入る」「シューズを履くときは必ず右から」など、自分のメンタルが落ち着く動作をみつけておくことが大事。お決まりの動作を導入することで、いつも通りのメンタルでプレーできる。

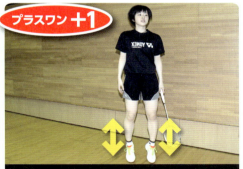

プラスワン +1
軽いジャンプをして
気持ちをリラックスさせる

プレー前に軽くジャンプし、リラックスしてから構えに入るのは、ポピュラーなルーティンの一つ。女子プロゴルファーの畑岡奈紗選手も、ティーショットなどを打つ前にぴょんぴょんと軽くジャンプするのをルーティンとしている。これによって上半身の余分な力みが抜けるという。

PART2 日常から取り組むメンタルトレーニング

メンタルマネージメント⑤集中力

オン・オフを切り替えて集中力を増す

コツ 14

バドミントンのプレーに重要な「集中力」には、いくつかのタイプがあるので、試合の状況や展開のなかで、使い分けていくことがポイントになる。

まず「分散集中」では、できるだけ視野を広くすることを意識し、相手のポジショニングを見て、どこが空いているか、どのようなショットを打てば相手の裏をつけるか察知するため集中する。

「一点集中」は、マッチポイントの大事なサービスやレシーブを決めなければいけない場面、相手の甘い返球をスマッシュで決めることができれば、相手に勝てるという場面での集中力となる。

「集中力」には複数あり、いま自分が何に集中すべきかわかっていなければ、「一本集中」という掛け声も無駄なものになってしまう。

メンタルCHECK バドミントンのプレー中で使われる集中力には、広い外的集中での「分散集中(フォーカス)」と、狭い外的集中での「一点集中(コンセントレーション)」があり、オン・オフの切り替えがポイント。

POINT 1
相手をイメージして練習メニューを考える

プレー以外の自分の気持ちや考えを整理することにも、「集中力」は関係してくる。対戦相手を分析し、試合展開を予測したり、自分と相手とのプレースタイルを考えるときは、集中しながらイメージを持つことで、より具体的な戦術プランとなる。相手に対して今の自分は、「フィジカルが足りないのではないか」と対策を練り、練習メニューを組み立てていくときに役立てる。

POINT 2
イメージすることで練習の質を高める

さらに自分のメンタル内に意識を向け、「集中力」を使うこともできる。例えば相手ショットをイメージし、それに対して自分はどのようなショットで対応するか考える作業だ。素振りやイメージトレーニングする際は、頭のなかで相手やシャトルをしっかりイメージして行うことがポイント。そのための集中力を使うことで、より質の高い練習をすることが可能になる。

POINT 3
集中力のオンとオフを切り替えてプレーする

構えに入った直後は、コート全体の広い範囲に意識を集中させている「分散集中」の状態に近い。そこからプレーが開始し、シャトルの動きに集中しているときは、「一点集中」している状態になる。このように同じ集中状態でもオン・オフを自在に切り替え、できるだけ集中力を維持することで、よりクオリティーの高いプレーを実現する。

メンタルマネージメント⑥　セルフトーク

コツ 15 セルフトークを入れて切り替える

　セルフトークとは、自分自身に対して語りかける言葉のこと。実際に声に出す人もいれば、心の中でつぶやく人もいるが、プレー中は誰もがセルフトークを行っている。何気ないセルフトークは、言葉の選び方次第でメンタルを上げることもできるし、下げることにもなる。

　苦しい場面でもプラス思考でいるには、ポジティブなセルフトークが効果的。ネガティブな言葉はメンタルをマイナス方向に導き、プレーでますます精彩を欠いてしまうからだ。自分の気持ちを切り替えられるフレーズやキーワードをあらかじめ用意しておくといい。

セルフトーク　例

場面・状況	マイナスのセルフトーク	プラスのセルフトーク	試合中の活動
一回戦のとき	ここで負けたらどうしよう	大丈夫、ベストを尽くそう	胸を張って歩く
	なんて言われるだろう	結果はついてくるもの	
空調の風が強いとき	嫌だな　やりづらいな	相手も同じ条件、嫌がった方が負け	焦らずにゆっくり歩く
		風を味方にしよう	
相手のペースで試合が進んでいるとき	どうしたら良いだろう	とにかく、1ポイントずつ粘り強くプレーしよう	深呼吸をする
	何をしてもダメな気がする		ポイント間はゆっくり
ミスが続いたとき	あー、またミスしてしまった	最後のポイントでミスしなければいい	声合わせをする（1、2、あー）
	どう打てばミスしないのか分からない	リラックスしてシャトルをよく見よう	屈伸運動をする
一方的にリードされたとき	もう勝てないかもしれない	大丈夫、必ずチャンスはくる	顔をあげて空を見る
	挽回できそうもない	それまでくらいついていこう	胸を張って歩く
			ルーティンを確実に行う
自分にとって不利なジャッジがあったとき	今のは入っていたはず	済んだことは受け入れて進むしかない	深呼吸をする
	こんな試合やってられない	とにかく私がうまくプレーすれば勝てる	ポイント間はゆっくり

メンタル CHECK　マイナスのセルフトークは、重要なポイントを失った場面やチャンスボールをミスしたときなどに出やすい。ここでセルフトークを入れると、次に構えに入ったときにはメンタルが切り替わった状態になる。

POINT 1
ポイントを失ったときこそ プラス思考の言葉を発する

ポイントを失えば、「こんなミスをするなんて…」などと、マイナスのセルフトークが口をつくのは当然かもしれない。しかし、ただちにその思考はストップし、プラスのセルフトークを発することが大切だ。ネガティブなメンタルでは悪い流れを断ち切ることはできない。

POINT 2
シャトルを拾いながら セルフトークを入れる

試合では相手にポイントを決められ、シャトルを拾いに行く場面がある。ポイントを失った事実をそのまま引きずるのではなく、シャトルを拾いに行きながらセルフトークでメンタルを切り替えよう。それによって次のポイントを新たな気持ちでチャレンジできる。

POINT 3
メンタルを切り替えたり 良い流れを継続させる

セルフトークは苦しい状況でメンタルを切り替えるだけでなく、リードしている場面でも有効。勝利が見えてくると、つい守りに入ったプレーになってしまうが、そんなときに「強気！」といった攻める意識を促すセルフトークを発することで、集中力を持続できる。

プラスワン +1
自分をコントロールして ブレないメンタルを作る

セルフトークには、自分をコントロールする「GOOD」「BETTER」「BEST」の3段階のキーワードがある。GOODはミスを忘れる。BETTERはリラックスを図る。BESTは次のラリーに集中する。そのようにしてGOODはBETTERに、BETTERはBESTに変えていけるように心掛けると、ブレないメンタルに近づく。

ストレッチ

ストレッチで体と心を整える 16

バドミントンはラリーの応酬のなかで全身を激しく動かさなければならず、筋肉への負担が大きいスポーツだ。

常にコンディションを良い状態でキープするためには、体のケアが重要になる。その効果的な方法としてストレッチがある。筋肉を伸ばすことで体を温め、ケガの原因となる疲労物質の除去を促すことができる。

体の柔軟性をアップすることによって可動域を広げ、動作のクオリティを高める効果もある。またストレッチ動作に合わせて行う呼吸によって、自律神経が刺激されてメンタルが安定する効果もある。

ストレッチは体を温めたり、クールダウンするだけでなく、心を整える役割もある。心と体に向き合おう。

メンタルCHECK プレー前後のストレッチを習慣づける。ラケットを握る前の準備運動としてはもちろん、最後の整理運動としても筋肉を伸ばすと、翌日への有効なコンディショニングとなる。

POINT 1

ウォームアップとクールダウンで体をケアする

ストレッチを行うタイミングは、ウォームアップとクールダウンだ。プレーの前に筋肉を伸ばすことで柔軟性を高めてケガをしづらい体にし、プレー後にも伸ばすことで疲労を除去しケガを予防する。入念なケアでケガのリスクを最小限にする。

POINT 2

伸ばした状態で10〜20秒カウントする

ストレッチは1つの動作につき、10〜20秒程度、筋肉を伸ばすのが基本。呼吸しながら、「伸びている」と感じるところまでゆっくりと動作し、そのままの姿勢をキープする。声に出してカウントしても良いが、その際は数える速度が速くならないように注意。

POINT 3

筋肉系のケガを予防してコンディショニング

ケガは筋肉に疲労物質が蓄積することによって、リスクが高まる。ストレッチに取り組むことで、体を温めて血行を促進し、体内の疲労物質を除去するスピードを速められるという。運動前後のストレッチを習慣づけて、体をケアしながらコンディショニングしていく。

プラスワン +1

ストレッチを入れてメンタルの安定をはかる

ストレッチ動作に合わせて行う呼吸(深呼吸)することよって、自律神経が刺激されてメンタルが安定する効果もあるという。試合前にどうしても気持ちが落ち着かないときは、軽いストレッチを入れながら深呼吸をして、メンタルの安定をはかるのも有効な手段だ。

ストレッチ①

床に座って片足を伸ばし、逆足はヒザを曲げて伸ばしたモモにつける。そこから上半身を伸ばした足の方向に倒してキープ。片手か両手で伸ばした足のツマ先にタッチできると、より高いストレッチ効果を得られる。この動作で一方の脚の裏側の筋肉や腱を重点的に伸ばせる。逆側も同様に行う。

easy
体が硬い場合は足首あたりをタッチし、無理のないところでキープして伸ばす。

ストレッチ②

床に座って片足を伸ばし、逆足はヒザを曲げてカカトをお尻につける。両手を後ろについて体を後方に倒し、曲げている足のモモと伸ばしている足のフクラハギの筋肉を伸ばす。逆側も同様に行う。

side
体を後方に倒すときはゆっくりと、伸びている筋肉を意識して行う。

ストレッチ③

片ヒザを立てて床に座る。両手を後ろにつき、片足を曲げて立てているヒザの上に乗せる。ヒザに乗せた方の足のモモをしっかり伸ばす。逆側も同様に行う。

ストレッチ④

両足を揃えて伸ばした姿勢で仰向けになり、片側のヒザを持ちあげて両手で上から抱える。腕に力を入れヒジを曲げ、モモを体に引き寄せる。このストレッチではおもに臀部の筋肉を伸ばすことができる。逆側も同様に行う。

ストレッチ⑤

仰向けになってリラックスし、両腕はそれぞれ自然な形で左右に伸ばす。その姿勢から右足を、上半身と直角にするイメージで左側に伸ばす。両肩を床につけたまま、腰をひねることでおもに腰まわりの筋肉をストレッチできる。逆側も同様に行う。

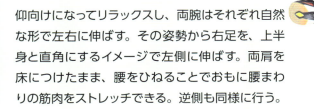

ストレッチ⑥

両足を前後に開き、片足は前でヒザを曲げ、もう片足は後ろでヒザを曲げる。
両手を床につき、重心を前にかけて股関節をストレッチする。逆側も同様に行う。

ストレッチ⑦

両足を揃えてしゃがみ、ヒザを曲げて小さく前にかがむ。
床についた両手側に重心をかけ、両足首を伸ばす。

別アングル

足首の可動域には個人差があるが、ケガ防止のためしっかりストレッチしておく。

ストレッチ⑧

壁に沿ってまっすぐ立ち、片手を後方に伸ばして壁につける。ゆっくり体を壁に寄せるようにして肩を伸ばしていく。無理のないところでキープし、逆側も同様に行う。

別アングル

肩や肩甲骨まわりの筋肉はストロークで負荷のかかる部分。入念に伸ばしておく。

ストレッチ⑨

壁に沿って立ち、片ヒジを曲げて頭の後ろにし、二の腕からヒジまでは壁につける。ゆっくり体を壁に寄せるようにして肩を伸ばしていく。無理のないところでキープし、逆側も同様に行う。

別アングル

ヒジを壁につけて固定することで、肩まわりの筋肉を集中的にストレッチできる。

ストレッチ⑩

直立の姿勢から、ヒジを伸ばした状態でまっすぐ正面に伸ばす。二の腕あたりに左腕の前腕をつけ、ヒジを曲げて抱え込み、右腕を体につける。右腕が真横に伸びる形をつくり、肩の筋肉を伸ばす。逆側も同様に行う。

ストレッチ⑪

直立の姿勢をとり、腕を真上にあげてヒジを手が背中側にくるように曲げる。そのヒジを上からつかみ、ヒジが頭の真後ろにくるように力を入れて引く。この動作を行うことによって、二の腕の裏側にある筋肉をストレッチする。逆側も同様に行う。

ストレッチ⑫

直立の姿勢から、腕を前に伸ばして指先を下に向ける。片方の手で指先をつかみ、手前に引くようにして前腕と手首の筋肉や腱を伸ばす。逆側も同様に行う。

PART3

メンタルを強くするための考え方

目標設定

憧れの選手・理想の選手を目標にする

コツ 17

目標の設定は、心技体それぞれの能力の向上に重要だ。目標は自分が進む道筋を明確にしてくれ、とくに心理面においては、バドミントンへのモチベーションを維持するエネルギーとなる。

その目標も、ただ「勝ちたい」ではなく、勝つためにはどのような選手になる必要があるか、具体的なイメージを持つこと。それが指導者に「やらされる練習」から、自らの意思で考え、自主的に取り組む練習へと進歩する。目標を設定する際は、まずトップ選手や身近にいる強い選手など、「こんな選手になりたい」と思える存在を見つけるといいだろう。

身近なところでライバルや目標とすべき選手を設定することで、練習に対してのモチベーションが変わってくる。

メンタル CHECK 目標を設定すると、今の自分には何が足りないかという「気づき」につながる。ただし、目標は高すぎても低すぎてもモチベーションの低下を招く。頑張ればなんとか届くぐらいの絶妙な距離感が求められる。

POINT 1
身近な先輩や同級生など チーム内にライバルをつくる

ライバルの存在は、それだけで「負けたくない」という思いから、厳しい練習を耐え抜く原動力になる。チームメイトであったとしても相乗効果が起きるライバル関係があると、個々のレベルアップが図れる。まずは身近な先輩や同級生をライバルとし、自分と比較して優れている部分を積極的に吸収する。まずはチームナンバー1の選手を目指したい。

POINT 2
他チームの強豪選手を意識し 自己のレベルを引き上げる

たとえチーム内でエース的な立場になれても、上には上がいる。「○○選手ならこれくらい厳しいコースを狙わないと、簡単に返されてしまう」というように、日々の練習から他チームの強豪選手をイメージすると、よりハイレベルなプレーを意識できる。自分を奮い立たせながら成長するには、自分より少し上のレベルの選手を目標にするのが効果的だ。

POINT 3
トップ選手のプレーを 自分のプレーに取り入れる

最近はインターネットで検索すれば、トップ選手の試合や練習の映像が出てくる。一流のプレーは動画で見るだけでもセルフイメージを高めることができるので、それらを参考にし、自分の練習やプレーに取り入れていくのもいいだろう。もちろん、真似をすることがすべてよいとは限らないが、成長のヒントにできる点も少なくないはずだ。

長期・中期・短期の目標をつくる

目標をクリアするまでの計画を立てる

コツ 18

目標は、最終的に目指す長期目標を置き、その手前に中期目標、短期目標と段階を分ける。長期目標は達成期限を決め、短期目標や中期目標はクリアするたびに新たな内容に更新させていく。短期目標は「ドロップの精度を上げたい」「体力アップ」など、プレーに直結する内容でもいい。その実現が「団体戦のレギュラーに入る」「県大会を突破する」といった次の中間目標に続く。

大会があり、その反省（フィードバック）を経て、次の大会を目指す。その中で中短期目標を一つずつクリアしながら、らせん状に長期目標に近づくのが理想だ。

メンタル CHECK　バドミントンは個人競技だが、学校の部活動や地域のクラブでは団体戦を目指すチームもある。その場合は、個人目標だけでなく、チームとしての長期、中期、短期目標を設定し、日頃から意識する必要がある。

POINT 1
達成期限を明確にして長期目標を立てる

長期目標は、まず達成したい時期や日付を決めることが大切。中高生なら1年後、長くても2年後に照準を合わせたい。期限を明確にすることで、毎日の練習の計画も立てやすくなる。「いつかできるだろう」という曖昧な設定では、いつまで経っても達成できない。

POINT 2
前回の反省を生かしながら中期目標を設定する

中期目標は、3〜6ヶ月スパンで考えるのが妥当だろう。高校生なら夏のインターハイと春先の全国選抜（その都道府県予選を含む）を中間目標に据えるのがいいかもしれない。夏の大会が終われば、春の大会に切り替えるというように、常に前回の反省を次に生かしていく。

POINT 3
長期・中期目標から逆算して短期目標を考える

短期目標は、1週間から1ヶ月程度の短い間隔で立てていく。小さな大会や練習試合で勝つことを掲げても構わないが、「スマッシュの威力をつける」など、技術やフィジカルの課題を1つずつクリアしていきたい。それが中期目標、さらには長期目標の達成につながる。

プラスワン +1
短中長期ごとに目標をイメージする

短期的にはショット技術やプレーに関する小さな目標を立て、中期的にはより高度な技術を習得した自分の姿をイメージする。最終的には、優勝してガッツポーズし、チームメイトと喜んでいる姿を思い浮かべ、長期目標に置く。

チームのなかの役割

バドミントンを通じて成長する

コツ 19 MENTAL

中高生が全国大会出場を長期目標としたとき、1年生ではよほど力を持った選手でない限り、その実現は難しい。そこで心技体が充実し、経験値も上がる3年時に長期目標の達成を目指すという考え方もある。3年間を逆算すれば、1年時や2年時にどんなことができればいいか、具体的な方策が見えてくる。

ただ、たとえ望んだ競技結果が得られなかったとしても、部活動で得られるものは少なくない。上下関係を学びながら与えられた役割をこなすことで、人間的な成長ができ、社会に出てからも通用する様々な素養が身につく。

チームメイトはライバル。その競争に勝ち抜き、他校の強敵を倒していくためには、バドミントンの技術だけでは足りないものがある。

メンタルCHECK バドミントン部に所属する中高生は、技術や体力の向上だけを目指してはいけない。学年を超えて仲間とともに部を組織・運営することで、自主性や協調性、責任感や連帯感などが育ち、人として成長できる。

PART3 メンタルを強くするための考え方

POINT 1

プレー以外のことも自ら積極的にこなす

バドミントンだけが強ければいいわけではない。部活動でもクラブチームでも、コートの準備や片づけ、シャトルなどの管理、部室の掃除など、プレー以外のことも他人任せにせず、積極的にこなす。それらのことができない限り、バドミントンをプレーする資格はない。

POINT 2

チームのなかでの自分の役割を意識する

チームをまとめるキャプテンや、キャプテンを支える副キャプテンなど、与えられた役割は全力で果たしていこう。先輩や後輩の関係ができるのも部活動ならでは。先輩を目指して練習したり、後輩の見本になるように努力したりすることは、今後の人生の貴重な経験になる。

POINT 3

悩みや意見を伝えられるのが指導者と選手の理想的な関係

部の顧問の先生やチームの監督・コーチと接するときは、敬語を使い、礼儀をきちんと守る。これは将来、社会人になってからも役立つこと。悩みがあれば抱え込まずに相談したり、意見があれば素直に伝えられるのが、理想的な指導者と選手の関係だ。

プラスワン +1

バドミントンを通して人としての成長を遂げる

こうしてバドミントンができることを当たり前ととらえてはいけない。家族や先生、チームメイトの支えがあるからこそ、自分はバドミントンに取り組めている。そんなふうに考えれば、「ありがとう」という感謝の思いと、本気でバドミントンに向き合えるメンタリティーが身につくはずだ。

1年間のコンディショニング

重要な大会にピークを合わせる

コツ 20

バドミントンは年間を通して多くの大会が開催され、明確なシーズンオフはない。フィジカルトレーニングや技術向上に重点を置く時期も必要であるため、すべての大会に心身ともに最高の状態で臨むのは難しい。そこで年間3～4大会に照準を合わせ、その大会にピークを持っていくような取り組みを推奨したい。

高校生であればインターハイは外せない。夏の本大会はもちろん、5～6月に行われる都道府県予選でいかに力を発揮できるかがポイントになる。大会開催日に心技体のピークを合わせられるようなスケジューリングを考えよう。

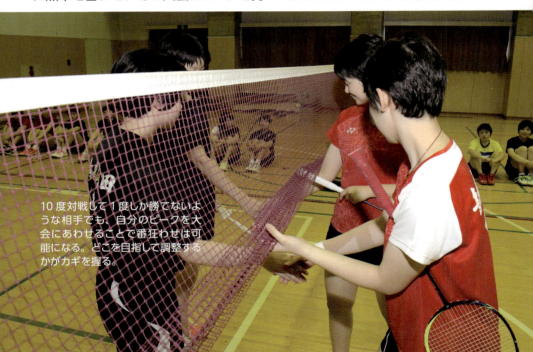

10度対戦して1度しか勝てないような相手でも、自分のピークを大会にあわせることで番狂わせは可能になる。どこを目指して調整するかがカギを握る。

メンタルCHECK 目標に設定した大会に合わせて、体はもちろん、メンタルもピークに持っていくことが重要。ラケットや用具などの準備も含め、試合前夜に「やるべきことはすべてやった」と思える心境で眠りにつけるといい。

POINT 1
今のこの頑張りがやがて目標達成につながる

バドミントン選手であれば、コートでプレーしている時間が最も楽しいのが当然である。ランニングや筋トレといった地道なトレーニングの時間はなかなか楽しさを見出せない。しかし、この頑張りが、目指す大会での目標達成につながると考えれば、乗り越えることができるはずだ。自分が苦しいとき、同じようにライバルも歯を食いしばっている。

POINT 2
試合前日は軽めの練習にしメンタルも試合モードに

目指す大会本番が近づいてきたら、オーバーワークやフォームの変更は禁物。試合前日は軽いラリーなどの練習にとどめ、コンディションの維持やリラクゼーションに努めるといい。あるいはメニューの最後に、決め球や得意なショットの練習を行い、良い感触を得たところで切り上げると、「明日はできる」と前向きなメンタルのままで当日を迎えられる。

POINT 3
オフはリフレッシュしても軽く体を動かしてもよい

オフの日にどう過ごすかに正解はない。普段はほとんど休息日がないのであれば、たまのオフはバドミントンから離れてリフレッシュしてもいいが、少しでも体を動かすこともレベルアップへの積み重ねになる。ただ言えるのは、中高生の強豪と言われるチームは、多くが後者。目標が高ければ高いほど、やはりそれなりの練習量は必要になってくる。

MENTAL コツ 21

ダブルスペア・シングルスの適正

「ダブルスはつくる」
「シングルスは育てる」

　指導者の立場から言えば、「シングルスプレイヤーは育てるもの」、「ダブルスはつくるもの」である。野球に置き換え、シングルスは投手、ダブルスはバッテリー（投手と捕手）と言ってもいい。

　つまり、あらゆるプレーをそつなくこなすことが求められるシングルスに対して、ダブルスは互いに弱点を補い合いながら相乗効果を生むのが目的になる。シングルスで実力のある2人がダブルスを組んでも、必ずしも良い結果になるとは限らないのだ。ダブルスは「10＋10」の足し算ではなく、たとえ1人の力が5でも「5×5」の掛け算を目指す。

ダブルスペア

メンタルCHECK シングルスとダブルスではプレッシャーのかかり方が大きく異なる。とくにシングルスは、試合が始まってしまえば、頼れる人は自分しかいない。相手よりもまずは自分自身に打ち勝つ精神力を持ちたい。

POINT 1
ポーカーフェイスを貫きつけ入る隙を与えない

シングルスでは、相手を前後に振って十分な体勢で打たせないことと、ラリーの主導権を握ることが勝利への近道。そこで相手に読まれないことが重要になってくる。技術的にはスマッシュとカット、あるいはヘアピンとロングを同じフォームから打てるようにし、メンタルや心の動揺があっても、ポーカーフェイスを貫いて相手につけ入る隙を与えない。

POINT 2
パートナーの特徴を理解し作戦を共有しておく

ダブルスは、言うまでもなく2人で協力し合って、ポイント奪取を目指す種目。「こういう戦い方で行こう」という作戦が共有できていなければ、勝利を手にすることはできない。日々の練習の中でパートナーの特徴を理解し、試合に向けてはコミュニケーションを取って、自分たちの方向性を決めておく。より強固な信頼関係が互いの持ち味を引き出す。

POINT 3
ダブルスはどんな結果も必ず2人で背負う

すべての結果を自分1人で背負わなければいけないシングルスに対し、ダブルスはどんな結果も必ず2人で背負う。「パートナーのおかげで勝てた」と感謝するのはよいが、「パートナーのせいで負けた」と責任を押しつけるようなことは絶対にいけない。仮に自分の方が実力があったとしても、パートナーをカバーできなかったことこそが敗因である。

ダブルスペアの適正と能力

前衛は読みと鋭い判断、後衛は忍耐力で勝負する

ダブルスは前衛の判断ですべてが決まってしまう面がある。そのため前衛には、たとえシングルスが得意でなくても、戦闘的でクレバーなタイプを置くのが望ましい。後衛はアタックが強く、コートを広く使って動ける選手、一般的にはシングルスが得意な選手をつける。

もちろん、前衛も後衛もできるのが理想だが、ラリーの中で最終的には、2人のプレイヤーが縦並びになる「トップ＆バック」の展開に持っていきたい。メンタル的には心の視野が広い人がダブルス向き。パートナーのミスを許せない人は、なかなかうまくいかないだろう。

後衛
前衛

メンタル CHECK

チームの中心選手ともなれば、個人戦と団体戦の両方で、シングルスとダブルスに出場しなければならない試合もある。体力的なタフさはもちろん、常に重圧にさらされるため、メンタルの強さも求められる。

POINT 1
ラリーが長引いたときこそメンタルの強さを発揮させる

トップ＆バックの展開に持ち込んだら、後衛はストレートへのスマッシュを軸に、センターのコースをうまく使いたい。ラリーでは相手ペアのうち、守備が弱い選手を攻めるのがセオリー。ラリーが長引いて集中力が低下してきたときこそ、メンタルの強さで粘りを見せよう。

POINT 2
甘くなった球を確実に叩いて決める

後衛が打ったコースに対し、前衛はポジションを移動しながら、相手に簡単に返球させないのが役割。相手の返球コースを限定させるポジショニングが理想だ。後衛がスマッシュなどで攻め、甘くなってきた球は叩いて確実にポイントをつかむ。前衛はクレバーさが欠かせない。

POINT 3
実力のある方の選手がパートナーをフォローする

シングルスの実力はそれほどでなくとも、パートナーとのコンビネーション次第で勝てるのがダブルス。誰にでも得手不得手はあるが、苦手なプレーは2人で補完し合いながら得意なプレーに持ち込もう。強い選手がパートナーをフォローしていくような関係性が必要になる。

プラスワン +1
励ますつもりの言葉がけが重圧になることもある

パートナーがミスしたときに、責めるような言葉がけや不機嫌な態度をするのは絶対に禁物。また、励ますつもりの言葉がけも、逆にプレッシャーを与えることになる場合があるので気をつけたい。普段の練習からパートナーと話し合い、適切な接し方を把握しておく。

シングルスの適正と能力

一人でコートに入り、相手に立ち向かう

すべてのプレーを自分一人でこなすシングルスは、「主役は自分」と考えるような自己主張の強い選手が向いている。ある中学生に「優勝しても喜びが半分になるダブルスより、一人占めできるシングルスだけやりたい」という選手がおり、その後、全国大会のシングルスで優勝した、というエピソードもある。

スタミナがあり、あらゆるテクニックをそつなく発揮できる能力が必要だが、メンタル的には、他人に頼ったり頼られるのが好きではないタイプや、どんな場面でもポーカーフェイスでいられる選手がシングルス向きといえる。

メンタルCHECK　相手に良いショットを決められたときや、精神的に苦しい状況だったとしても、笑顔を作るのは効果的。まだ余裕があるという印象を相手に与えられる上、笑うことで自分自身も力みが抜けてリラックスできる。

PART4

心と体
戦術プランの準備

戦術プランの準備

コツ 24 試合展開を想定したプランを練る

試合で勝つためには、あらかじめ戦術プランを練っておく。相手の戦型、長所や短所、メンタルの傾向といった情報を映像や過去の成績から収集し、実際に相手の試合を見ておくのが望ましい。それらの情報分析から、実際に対戦したときにどんな展開になるのかをイメージする。このとき、より多くの展開を想定できると、試合で焦ることが少なくなる。

ただし、相手へのリアクションばかり考えていると、戦い方を変えられた場合に戦術が通用しなくなるので注意したい。自分の攻撃を中心に、得意のパターンに持ち込む方法を模索しよう。

コートに立ったとき、相手の分析や対策は終えた状態が理想。試合を進めていくうちに、うまくいかないことが起こっても準備・想定しておくことで慌てずプレーできる。

メンタルCHECK 対戦相手がどんな選手かわからないまま試合に臨むことほど不安なことはない。逆に、相手のことがわかっていて戦い方をイメージできていれば、マイナスのメンタルは軽減される。準備はそれくらい大切である。

POINT 1
対戦相手を事前にチェックし どんなタイプか研究しておく

相手がそれまでに対戦したことがある選手ならば、そのときのことを思い返しながら相手の特徴を確認しておく。初対戦の相手でも、前の試合をチェックできるのであれば、しっかりと確認して研究し、どんなタイプの選手なのかを把握しておくことが望ましい。

POINT 2
リードされても諦めず リードしても油断しない

相手の特徴がある程度わかったら、自分の特徴と照らし合わせて試合展開を予測する。リードされても最後まで諦めず、リードしても最後まで油断しないのは基本中の基本。ランキングは自分が上でも相手が上でも、実力差があるとこの準備がおろそかになりやすいので注意したい。

POINT 3
予測した試合展開に沿って 戦術を練り、練習する

予測した試合展開をもとに戦術を練り、日頃からその練習を行う。指導者はもちろん、ダブルスではパートナーとフォーメーションやゲームプランについて意見を交換しておく。戦術はいくつか用意しておくと、試合中に焦ったりパニックに陥ったりするリスクを少なくできる。

プラスワン +1
必ずしも想定通りにならない それも想定通りと考える

試合では相手も研究してくるため、こちらの想定通りの展開にならないことが少なくない。予想した対戦相手が敗退して勝ち上がってこないこともある。これも「そういうことがある」と考えておけば問題はない。準備や想定は、いくらやってもやり過ぎということはない。

MENTAL コツ 25

試合中のアクシデント

アクシデントに慌てず対処する

試合中にアクシデントが起きた際に、パニックになってメンタルを乱すと、それだけで相手に流れがいってしまう。予期せぬ事態にも、冷静に対応できるように想定しておこう。起こりやすいアクシデントは、ケガと用具の破損。プレーを続行できるケガであれば、主審の許可を得てから応急処置などを行う。

ラケットを破損した場合、スペアがないと棄権扱いになるため、試合では必ず予備のラケットを用意すること。普段の練習から数本のラケットを使い分けておくと、フィーリングの違いでプレーの質を落とすリスクを避けられる。

突然のケガは、対応しにくいアクシデントのひとつ。痛みを感じたら、コーチやドクターに相談し、無理をしないことが大切だ。

メンタル CHECK

試合中によくあるアクシデントは、ケガやラケット、シューズなどが壊れてしまうこと。また、会場の設備や運営面でも予期せぬことが起きる。そんなときはまず落ち着き、自分ができることが何かを考える。

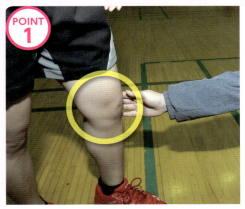

POINT 1
ケガは冷静さを失わせる まずは心を落ち着かせる

人はケガをすると、痛みを感じると同時に「まずい、どうしよう」とパニック状態に陥りやすい。それが試合中であれば、なおさら冷静な判断力を鈍らせる。一度、深呼吸をして心を落ち着かせ、プレーが続行できそうかどうかを見極めよう。プレーが難しいなら棄権せざるを得ないが、可能なら主審に許可をもらってから応急処置を施し、コートに戻る。

POINT 2
ラケットの破損は日常茶飯事 試合では何本か用意する

ラケットが折れたり、ストリングが切れたりするのは、バドミントンの試合ではよくあること。試合中にそうなると、次のポイントからはそのラケットを使用できないため（主審の許可を得て、誰かから補充してもらうことは可能）、あらかじめ複数のラケットを用意しておく。用具のせいでメンタルが落ち、プレーに支障が出るようなことは避けたい。

POINT 3
相手のアクシデントでは 自分の集中力を切らさない

アクシデントは対戦相手にも同じように起こる可能性がある。そんな場面でやってはいけないのが、相手の状況を気にしてしまうこと。治療などのちょっとしたインターバルでは、水分を摂ったり、軽く体を動かして冷やさないようにし、気持ちを切らさないことで集中力を持続できる。もう一度、頭の中で自分のやるべきことを整理するのもいいだろう。

※競技ルールは大会などによって異なる場合がある

試合会場の下見

コツ 26 コート上の照明や空調を確認しておく

バドミントンでは体育館の空調や照明、歓声など周囲の音がメンタルを乱すことがある。それは結果的に、練習通りの力を発揮できないことにつながり、負けたときの言い訳にしてしまいかねない。体育館の設備に関しては、仮に不満があったとしても、「出場者全員が同じ条件だ」と考えるようにしよう。

試合当日は、会場入りしたらまず体育館全体の雰囲気とコートのチェックをしておきたい。とくに空調と照明には気を配り、その条件をもとにゲームプランを立てておくと、外的要因に左右されることなくプレーに集中できる。

空調の風はシャトルの飛ぶ軌道に大きな影響を及ぼす。事前に施設の空調をチェックし、風の流れを把握しておくと良いだろう。

メンタル CHECK バドミントンでは、照明や空調によってコートの有利・不利が生じることがある。ただ、チェンジエンズ（コートチェンジ）を行うので、条件は相手も同じ。マイナスにとらえないことが大切だ。

PART4 心と体 戦術プランの準備

POINT 1

ライトが目に入るときは無理に攻めない判断も必要

照明は、その位置や数、明るさの具合によってプレーに微妙な影響をもたらす。できれば試合前に確認しておきたいが、それでもプレー中にライトが目に入ってしまうときは、無理に攻めようとせず、ハイクリアやロブなどを使って時間を稼ぐといった判断も必要だ。

POINT 2

シャトルが影響される風 とくに向かい風側は不利

軽いシャトルは体育館の空調によるちょっとした風で動きが変わる。一般的には、普段以上にパワーが必要になり、ネット際ギリギリを狙って打ったショットも押し戻される向かい風が不利。追い風や横風も何らかの影響を受けるので、いずれにしても無視はできない。

POINT 3

会場到着後や試合前にシャトルを上げて確認する

空調や照明は体育館によってそれぞれ異なる。朝、会場に到着したときや試合前にシャトルを高く上げて、空調や照明の感じ方を確認するのがオススメ。それらを知っておくだけでも、余計なことでメンタルを惑わされることが減り、自分のプレーにより集中できる。

プラスワン +1

騒音のある環境で練習し試合会場での雑音に慣れる

自分や相手選手への声援、他のコートでの歓声や応援、大会本部からのアナウンスなど、試合会場では様々な〝音〟が発生している。そうしたものに慣れるために、あらかじめ録音した試合時の音声や大音量の音楽で、練習時からあえてうるさい環境で練習するのも効果的だ。

試合会場入り

コツ 27 試合当日は時間に余裕を持って行動する

　試合当日は時間に余裕を持って行動すること。とくに自宅や宿泊先から会場までの移動は、交通機関が乱れないとも限らない。そうした状況は焦りやイライラとなり、緊張感を必要以上に高めたり、集中を途切れさせたりする。時間の余裕が、心の余裕を生むわけだ。

　そのためには前日の就寝から起床、朝食まで早めに動くことを心がけよう。早めの行動はトラブルが起きても対応しやすい。トーナメントに勝ち進めば、1日で数試合、朝から夕方まで試合は続く。プレー以外のことでメンタルを乱すのは得策ではない。

試合当日は時間に余裕を持って行動する。大人数の場合、一人の遅れが全体に波及するので意識して行動する。

メンタルCHECK 試合の開始時間は待ってくれない。ギリギリの時間で行動し、会場に到着するのが遅れれば、ウォーミングアップの時間を短縮せざるを得ず、心も体の準備が不十分のままコートに立たなくてはならなくなる。

PART4 心と体　戦術プランの準備

POINT 1
持ち物などの準備は早めに自分でやると安心感が出る

ラケットやシューズ、ユニフォームといった用具の準備は、修理や買い替えなどがあることも考慮し、できれば試合の2日前には終えておきたい。人任せにせず、すべて自分でやることで安心感が得られる。忘れ物が心配な人は、事前に持ち物リストを作っておこう。

POINT 2
朝食は食べ慣れたものを食べ散歩でリラックスする

試合当日の朝食は、バランスの良いものを3〜4時間前には食べ終え、しっかりと消化しておく。栄養面におけるセオリーはあるが、普段から食べ慣れたものを食べるのがいいだろう。少しの時間でも散歩をすると、気持ちがリラックスでき、試合に向けたスイッチが入る。

POINT 3
自分たちの〝居場所〟を作りメンタルの不安を取り除く

いつもの試合会場であれば、できるだけ早く到着し、練習コートや2階席の荷物置き場を確保する。いつものコートや座席という〝居場所〟があるだけで、メンタル的に落ち着くことができる。慣れていない会場でも、早めに自分たちの拠点を作っておくのがよい。

プラスワン +1
試合前の数日間は試合当日のように過ごす

試合前の数日間は、試合当日のスケジュールに合わせたサイクルで生活するのも有効。前日の就寝から起床や朝食、散歩など、夜から朝の時間を試合日と同じように過ごす。学校の授業がなければ、練習の開始時間も試合時間に合わせると、体もその流れに慣れてくる。

試合前日

コツ 28 前日練習は確認程度にとどめる

　試合が近くなると、不安感から短所を少しでも解消しようとたくさんの練習をしたり、難しい技術習得に取り組む選手がいる。しかし、これは逆効果。すぐできないことに取り組んでも解決しないばかりか、悩みが増えてかえってメンタルがマイナスに陥ってしまう。試合前はメンタルをプラス思考に保つことを心がける。

　とくに前日の練習は自分のプレーの確認程度に抑えたい。長所を活かすイメージをしながら、疲れが残らない程度に、軽めに取り組むようにしよう。帰宅後はリラックスに努め、できるだけ早く布団に入る。バドミントンから思考を切り離すのもいいだろう。

前日練習は、調整程度にとどめておく。疲れを翌日に残してしまうと、体ばかりかメンタルにも影響を及ぼす。

メンタルCHECK　前日のオーバーワークは体に疲労感が残り、普段通りのプレーをできなくする。また、集中力が途切れ、闘志や意欲も沸きにくくなり、ここ一番で粘り強さが発揮できないなど、メンタルにも悪影響を及ぼす。

POINT 1
試合前の練習過多は禁物 数日前から心身を整える

体力アップを目的としたハードな練習もときには必要だが、試合が近くなってきたら練習のやり過ぎは禁物。力を発揮しなければならない本番に疲労感を残し、思い通りに動けなってしまうからだ。練習量は試合に向けて少しずつ落としていくのが基本。メンタルもリラクゼーションやサイキングアップを取り入れながら、コンディションを整えていく。

POINT 2
試合前の難しい取り組みは 自信をなくす原因になる

不安な気持ちが大きいほど、「練習をもっとやらないといけない」という誤った判断を生む。とくに試合直前のフォームの変更や新しい技術の習得はうまくいく可能性が低く、逆に自信をなくす原因になる。前日練習は確認程度の調整にとどめ、最後は得意なショットや決め球を打って、「明日はできる」という思いとともに気分よく練習を終えよう。

POINT 3
バドミントンから離れて リラックスする時間を持つ

イメージトレーニングや準備が済んだら、音楽を聴いたり読書をしたりして、バドミントンから頭を切り離す時間を持つのもよい。それがいざ本番を迎えたときに、高い集中力となって発揮される。学校や家庭での心配事も、ここではできるだけ持ち込まない。寝床について気持ちの高ぶりから眠れなくても、目を閉じて横になっているだけで心身は休まる。

日頃の練習①

コツ 29 ミスジャッジに動揺しないよう練習する

　人が審判を務めている以上、ミスジャッジは起こり得るもの。重要なのは、そのときに心を揺さぶられず、自分のプレーに徹するメンタルを身につけておくことだ。不満を漏らしたり怒りをあらわにすると、プレーの質が落ちてしまう。

　そこで日頃の部内マッチ等で、審判や相手にわざと相手側に有利な（自分に不利な）判定をしてもらうのも、メンタル強化の一つ。実際に不利なジャッジをされると、不満を感じたり集中力が保てなくなったりするが、そこで深呼吸やセルフトークなどを用いながら、メンタルを切り替えて次のポイントに臨むようにする。

「よし！」と思ったポイントが、審判のミスジャッジによって覆ってしまう。そのとき自分のメンタルが、どのように動くのか練習を通じて把握しておく。

メンタルCHECK　あえて不利なジャッジを行うのは、部内での練習マッチなど、結果がそれほど重視されない試合が妥当。「こういうこともある」という心理状態がつかめれば、試合本番でメンタルが乱れることも少なくなる。

POINT 1

不利なジャッジがあっても
ショックを引きずらない

試合で微妙な判定だったときに大切なのは、そこでのショックを引きずって自分のプレーを見失わないことだ。そのために日頃の練習で自分に不利なジャッジをあえて経験する。たとえ不満に感じても、メンタルをうまくコントロールして気持ちを切り替えられるようにしよう。

POINT 2

慣れないラケットでプレーし
アクシデントに備える

試合中のラケットの破損やストリングスが切れることを想定し、他のラケットに交換したり、仲間のラケットを借りてプレーする。練習試合で行うなら、1ゲームごとや数ポイントごと、あるいは第三者がランダムなタイミングで合図をして、ラケットを替えるといいだろう。

POINT 3

スコアを工夫して
すべて1点は1点と考える

バドミントンではスコアの状況によって、かかるプレッシャーが大きく変わってくる。練習試合では得点にハンデをつけたり、緊張感が高まるデュースから始めるなど工夫してみよう。「どのポイントも1点は1点」と思えると、必要以上のメンタルの負荷を排除できる。

プラスワン +1

観られると緊張する人に
試合を観戦してもらう

人に観られているという状況でメンタルが乱れるケースも多い。たとえば練習試合などで、観られると緊張してしまう指導者に観戦してもらったり、チームメイトにその代役をしてもらうことで、観られることに慣れ、普段通りのプレーができるようにする方法もある。

MENTAL コツ 30

日頃の練習②

自主的に考えて練習に取り組む

　強いチームや選手は、練習メニューを自ら考え、率先して行動できる。「やらされる練習」と「自らやる練習」では、後者の方が早く効率的にレベルアップできるのは明らかだろう。ときに他人のアドバイスが成長のヒントにもなるが、自主的な練習ほど力になるものはない。

　そういう意味で強い選手を目指すなら、1日24時間ずっと考えていられるくらいバドミントンに没頭するべきだが、実際はなかなか難しい。そこで欠かせないのが、オンとオフの切り替え。一流選手ほどそれが巧く、スイッチがオンになった途端にとてつもない集中力を発揮する。

選手が自主的に練習メニューに携わることは、「自分たちに何が必要で、何が足りないのか」を考え、向き合わせることができる貴重な機会。

メンタル CHECK　強くなりたければ、自らやる練習は不可欠。むしろ、「この練習をやりたい」という気持ちが芽生え、全体練習が終わっても、自主練習を行ったり、日常でもバドミントンのことを考えたりするのが当然になる。

POINT 1
練習で大切なのは量より質 時間内で集中して行う

練習は、長い時間をかけて行えばいいわけではない。短い時間であっても、集中して、高い目的意識を持って行うのが何よりも大切。ストレッチやウォーミングアップの打球練習なども、時間を設定し、その中で自分に必要なメニューを考えながら取り組めるのが理想だ。

POINT 2
明確な目的意識を持って部内マッチを行う

部内マッチもなんとなく試合をこなすのではなく、戦術的な準備や新たなプレーの試み、具体的なシチュエーションを想定するなど、テーマを考えて取り組もう。時間やコートの制限もあるだろうが、可能ならば対戦相手に仮想ライバルとしてプレーしてもらうのも有効である。

POINT 3
収穫は次の試合で生かし課題は次の練習で克服する

明確な目的意識を持って練習を行えば、できるようなったことや課題もはっきりする。うまくいった点はさらに精度を上げながら今後の試合に生かし、課題は引き続き、練習の中で克服していく。そのような地道な作業の繰り返しでしかレベルアップは図れない。

プラスワン +1
練習試合では相手によって意識を変える

練習試合では相手をＡＢＣに分ける。勝つのが難しいＡに対しては、勝てないけれども1秒でも長くコートで食らいつき、強い選手から何かを盗む。同じぐらいのレベルのＢとの対戦では、競り勝つことを覚える。勝てそうなＣには、気を抜かずに1点もやらせない意識を持つ。

コツ 31 日頃の意識
「インターハイ優勝！」と毎日三回唱える

練習前に準備運動で体をほぐすのと同様、メンタルもウォームアップを行うとパフォーマンスが向上する。目をつぶってラケットを持ち、実際にスイングしながら自分の最高のプレーをイメージしてみよう。このイメージトレーニングを5分程度行う習慣をつけると、練習自体へのモチベーションを高められる。

イメージトレーニングは日々の生活でも採用できる。ベッドの上の天井やトイレに「インターハイ優勝」「打倒、○○」といった張り紙をして、それを目にしたら3回唱える。それによって目標が自然と刷り込まれ、意識づけができる。

指導者やキャプテンは、大きな目標を普段のミーティングから口にする。そうすることでチーム全員の目標に対しての意識づけが可能になる。

メンタル CHECK　個人としてもチームとしても、常に高い意識を持ち続けることがレベルアップにつながる。モチベーションが下がってきたと感じたら、チームのスローガンや自分の目標をもう一度見直し、気持ちを高める。

POINT 1

イメージトレーニングで心身両面の準備を整える

練習前に行うイメージトレーニングは、気持ちをバドミントンに向け、効率よくプレーするための心身両方のウォーミングアップに役立つ。脳から筋肉への伝達が強化され、プレー中の反応速度の向上が期待できたり、苦しい局面に対処する心構えが形成されたりするのだ。

POINT 2

目につくところに部旗や目標を掲示する

体育館の壁に部旗やスローガンが書かれた横断幕を掲示したり、部室や自分の部屋、生活環境など目につくところに目標を掲げると、そうした言葉が自然と頭に刷り込まれる。言葉の力というのは、チームに一体感を生み出し、個々のモチベーションを上げる働きをする。

POINT 3

チームの一員という責任が気持ちを同じ方向に向ける

たとえ団体戦のレギュラーではなくても、チームの一員であるという責任を持つこと。個々の目標に向かって鍛錬を重ねつつ、チーム全体が同じ方向を向いて努力することに尊さがある。迷いが生じたら、何のためにバドミントンをしているのかを自分自身に問うてみよう。

プラスワン +1

バドミントンが楽しいという思いで取り組む

やるべきことをやっていても、うまく行かないことはある。そんなときこそ、「バドミントンが好き」「楽しい」という気持ちを呼び覚まそう。誰でもバドミントンを始めた頃はプレーするのが楽しかったはず。初心を思い出せば、行き詰った状況の突破口になるかもしれない。

MENTAL コツ 32

バドミントンノート

体調面や練習・試合に対する評価と反省をノートに書く

　選手としての自分の特徴を客観的に見ることができると、より正確な分析が可能になり、競技力アップにつながる。そのために有効なのが、ノートをつけること。練習内容や試合の反省をできるだけ毎日書き込むことで、自分の考え方やバドミントンに対する取り組む姿勢がまとまり、必要なことが明確になる。

　また、ノートをつける作業には、長期的な自分の成長度合いやコンディションの浮き沈みを把握できる効果もある。さらにノートを指導者に見てもらう習慣をつけると、別の視点からのアドバイスをもらえて新たな発見もある。

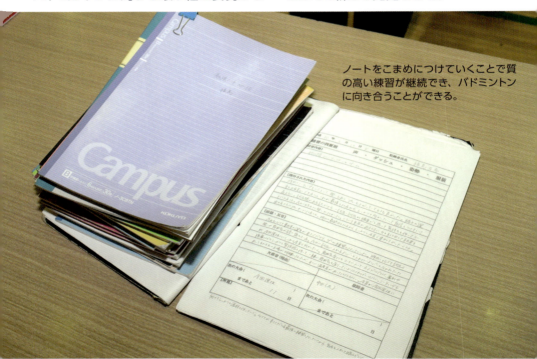

ノートをこまめにつけていくことで質の高い練習が継続でき、バドミントンに向き合うことができる。

メンタル CHECK

ノートを書くと、心身ともに今の自分の状況がはっきり見えてくる。それが次の練習や試合で生かせるのだ。ノートを書かない選手は、日々の練習もただ漫然とこなすだけになり、明確な目的意識を持てない。

POINT 1
練習メニューなどを書き入れ次回の練習に生かす

ノートの書き方に決まりはないが、基本的にはその日の練習メニューと感想、練習ゲームのスコアを記入する。また、今日の反省を取り入れて、今後はどうしたいかをまとめておくと、次回の練習の際にやるべきことがはっきりする。それが長期・中期・短期目標の中の短期目標と重なるとよい。試合当日も試合内容や感想をまとめ、次の試合で生かす。

POINT 2
心身の状態を記入しておき調子の良し悪しを把握する

ノートには体と心のコンディションも記入しておくのが効果的。「少し疲れ気味だった」とか「集中力が続かなかった」といったことを書いておけば、調子の良し悪しやケガの原因の把握もできる。脈拍や体温なども計測して記入しておくと良いだろう。メンタル強化につながる言葉を耳にしたら、それを書き留めておく。

POINT 3
指導者に抜き打ち的にチェックしてもらう

ノートは自分だけで完結させてもよいが、指導者にチェックしてもらう方法もある。書いても実践できない選手が多いため、第三者が目を通すことで意識化できる。定期的な提出よりも、抜き打ち的なチェックの方が効果的。ノートへの記入は、バドミントンに自己を投入させるための方法であり、投入度が深いほどゾーンに入る確率も高くなる。

トレーニングノート例

年　　　月　　　日　　　曜日　　　氏名					
練習のスローガン　　声　・　ダッシュ　・　姿勢　・　服装					

練習内容

指導された内容

感想・反省

体調

体温・朝	体温・夜	脈拍・朝	脈拍・練習前 (or 後)	脈拍・練習中	脈拍・夜
℃	℃	回	回	回	回

次の大会　（　　　　　　　　　　　　　　　）まで　　　　あと　　　　　日

指導者より

PART5 心技体
試合中のメンタルマネージメント

試合中のメンタル

コツ 33 試合での心理状態をチェックする

　試合では様々な形でメンタルに負担がかかる。緊張や不安、相手選手に対する苦手意識の他、試合が始まって優位な状況にあっても、勝ちを意識して思い通りにプレーできなくなることさえある。ただ、そうした感情は勝ちたいと思っているからこそ。「自分は精神的に弱いから」などと悲観する必要はない。

　とはいえ、「メンタルの乱れ」から「パフォーマンスの低下」という悪循環に陥ると、簡単には抜け出せない。まずはコート上でどのような心理的な動きがあるのかを把握し、その上でそれらに対応する方法を身につけよう。

ネットを挟んで相手と対峙し、プレーで駆け引きをしなければならないバドミントンは、試合中のメンタルマネージメントが勝敗のカギを握る。

メンタル CHECK　試合では恐怖、ビビり、焦り、怒りといった様々なマイナスのメンタルに襲われる。これらは元をたどれば、すべて「勝ちたい」という気持ちがあるからだが、意識が自分のプレー以外に向いていることで生ずる。

POINT 1
強い相手に対しては実力を試す機会と考える

自分より実績のある選手や苦手なタイプとの対戦は、惨敗するイメージが沸き、恐怖心を感じやすい。力を出し切って敗れたのなら仕方のないこと。その後の成長の糧にすればよい。「今の自分の実力を試す絶好の機会だ」ととらえ、全力で立ち向かうことだけに集中する。

POINT 2
勝負を分ける重要な局面も1ポイントは1ポイント

勝負の分かれ目になりそうな重要なポイントを迎えると、それを意識しすぎてビビってしまう。しかし、1点は1点。その価値は他のポイントと変わらない。重要な局面で緊張しているのは相手も同じであり、そこでいつも通りのプレーができれば、精神的にも優位に立てる。

POINT 3
「勝ち」を意識すると相手の反撃に焦ってしまう

大量リードを奪ったにもかかわらず、追い上げられると焦ってくる。それは気持ちのどこかで「勝ち」を意識してしまっていたからに他ならない。結果は後からついてくるもの。試合終了を迎えるまでは目の前のポイントに集中し、余計なことは考えないようにする。

プラスワン +1
自分のことに集中すれば他のことが気にならない

相手の態度や審判のジャッジにイライラすることもあるだろう。しかし、そうした感情は、意識が自分のプレーに向いていない何よりの証拠である。自分が今やるべきことだけを考えていられたなら、自分以外のものに対して、メンタルが揺さぶられることはないはずだ。

PART5 試合中のメンタルマネージメント

コツ 34 MENTAL

試合中の表情
ポーカーフェイスを心がける

　ミスをしたり、思うようなプレーができない場面では、悔しさから表情を歪めてしまいがち。しかし、悔しさを表に出すと、それをきっかけにマイナス思考に陥りやすい。シングルスではとくにポーカーフェイスを心がけ、気持ちが揺らがないようにしたい。そうすることで良いプレー後も舞い上がらず、ミスをしてもすぐに切り替えられる。

　重要なのはポイントごとに極端に感情を上下させないこと。マイナスの感情を出さずにプレーを続けながら、良いプレーをできたら笑顔やガッツポーズなどで喜びを表現しても問題はない。

ポイント間の表情やしぐさから、相手に自分のメンタルの状態を探られてしまうのは、駆け引きで大きなマイナスとなる。

メンタル CHECK　ポイントごとに一喜一憂すると、相手にとっては対処しやすい。とくにメンタルが落ちた場面では、つけ入る隙を与え、一気に押し込まれる可能性が高まる。自分の感情はできるだけ相手に悟らせないのが理想だ。

POINT 1
常にポーカーフェイスで落ち着いた態度を心がける

表情のコントロールや態度は、内面のコントロールにつながる。したがって試合中は、得失点に関係なく、常に落ち着いた態度でいることを心がけたい。もちろん、うれしいときは多少の感情表現があってもよいが、すぐに次のポイントに向けて気持ちを切り替えるようにする。

POINT 2
ミスをしたときに悔しい表情を出さない

ミスをしたときなどに必要以上に落ち込んだり、悔しがったりしないこと。そうした表情を出す行為は、自分のメンタルをさらに悪い方に傾け、相手にもつけ入る隙を与えることになる。悔しがる前に、まずは何が悪かったか、ミスの原因を探り、次のプレーに生かしていく。

POINT 3
感情が出てしまうときは相手に背を向けて吐き出す

表情を出さないようにしていても、重要なポイントでのミスなど、思わず顔を歪めてしまうような場面はある。そんなときはポイント後で相手に背を向けているときに感情を吐き出し、次のポイント前で正面を向き、構えに入ったときにはポーカーフェイスに戻しておく。

プラスワン +1
ダブルスでは前向きな表情で盛り上げる

ダブルスでは、ポーカーフェイスよりは笑顔や相づちを打つなど、前向きな表情を作るのがいいだろう。パートナーがミスをしたときに、不満の表情を見せるのは禁物。勇気づけるような言葉がけとともに、「次はポイントを取ろう」といった意志を表情で伝える。

PART5 試合中のメンタルマネージメント

ガッツポーズ

コツ 35 闘争心を身につけ、勝利を志向する

　強い選手との対戦では、「失うものは何もない」「自分の実力を知る絶好の機会」と考えるとよい。強豪選手にもプレッシャーはあるし、油断するかもしれない。我慢をしていれば必ずチャンスはやってくる。接戦になったときは相手も同じような苦しさを感じているはず、と思うことでその場面を乗り越えられる。

　アメリカなどでは闘争心を呼び起こすために、大きな声を出すのが良いとされるが、これはあまりオススメしない。威嚇にも取られ、相手に失礼だからだ。ポイントを取った直後は、控え目なガッツポーズで喜びを表現しよう。

三種類のガッツポーズを使い分け、常にメンタルをマネージメントすることが、試合での勝利につながる。

メンタルCHECK　トップ選手同士の戦いや同レベルの相手との試合では、闘争心の有無が試合の流れを決める。闘争心があればこそ、ポイントを取れば「よし！」という気分になり、失えば「次！」という思いが自然と沸き上がる。

POINT 1

ポイントを奪ったときは後ろを向いて「裏ガッツ」

相手に誤解されることを避けるためにもガッツポーズはオススメできないが、良いプレーができたときはどうしても出てしまうもの。そこで3種類のガッツポーズを提案する。1つ目は、状況に関係なくポイントを奪ったときに出す「裏ガッツ」。相手に背を向けた状態で、コンパクトにガッツポーズを繰り出す。自分を鼓舞するために使ってもよい。

POINT 2

会心のプレーができたら小さくガッツポーズをする

良いショット打つと、ガッツポーズをしたくなる。ただ、ラリーのたびにガッツポーズをしていたらそれだけで疲れる上、さらに良いショットを求めて力み、試合の流れを変えてしまうこともある。そこで、重要なポイントを取ったときは、小さなガッツポーズを取り入れよう。2つ目の「小ガッツ」は、会心のプレーができたときに出すガッツポーズとする。

POINT 3

試合に勝ったら大ガッツで喜びを表す

3つ目は大きなガッツポーズ、いわゆる「大ガッツ」は試合に勝ったときだけ出す。苦しい戦いをものにした喜びを体いっぱいで表現しよう。「裏ガッツ」や「小ガッツ」は、すべて大ガッツをするための通過点である。ただし、大ガッツも敗れた相手に敬意を払わないものではいけない。パートナーや応援してくれた人たちの方を向いて行うのがいいだろう。

MENTAL コツ 36 — 目線のコントロール
目線を泳がさず一定にする

相手の言動や観客、隣りのコートの選手などに気が散って、注意力が散漫になると、目線が泳いだり、視界が、ぼんやりしたりして、試合に集中できなくなる。コート外の人やノイズを意識の外に振り払えるように、自分の目線を一定にする方法でメンタルを維持しよう。

ポイントが終わるごとにラケットやシャトルに目線を向けると、意識を試合に集中できる。他にも、シューズのひもを直すなど、自分のそばにあるアイテムをじっと見るのが効果的。周辺の環境にメンタルを左右されることなく、自分のプレーにのみ神経を集中させたい。

ラケットに張られているガットに目線を集めることにより、集中力を高め、メンタルを落ち着かせることができる。

メンタルCHECK　球技では、よく「ボールを見なさい」と言われる。これはボールを芯でとらえるためだけでなく、精神的な集中力に良い影響を与えるからだ。プレー中以外でも目線をコントロールすることでメンタルが安定する。

POINT 1

目線が一定していないと不安定な感情につながる

ポイント間に相手選手や審判、観客を観たり、他のコートに視線を送ったりするのは、自分の試合に集中できていない表れ。余計な情報が入ってきて、メンタルも気づかないうちに、マイナスの思考に覆われている。コントロールを失った視線は、不安定な感情につながる。

POINT 2

ガットやシャトルを見て目線をコントロールする

メンタルが安定している選手は、ポイント間の目線も安定している。多いのは、ラケットのガットやシャトルを見つめて、息を整えたり、次のプレーに意識を集中させるパターン。シューズのひもを直すなど、身近にあるものに焦点を合わすのも、同様の効果を得られる。

POINT 3

相手に露骨に視線を向けない笑顔で平常心をアピール

ポイント間では、あからさまに相手に視線を向けない方が無難だ。睨みつけているような誤解から、相手に良くない印象を与えてしまう。ただ、ポイントを取られたとき、逆に笑顔を見せると、相手には「こちらはダメージはないぞ」と思わせることができるかもしれない。

プラスワン +1

指導者からのアイトークで苦しい状況を乗り越える

チームによっては、苦しい場面では指導者の方を見て、指導者は相づちを打つなど、目でメッセージを送るチームもある。こうした「アイトーク」は、不調や流れが悪い局面から抜け出すきっかけになる。自分のペースでプレーをできているときは、アイトークは必要ない。

リラクゼーション

軽く体を動かして緊張感を緩和する

コツ 37

大事なポイントや劣勢の場面では、プレッシャーを感じやすく緊張感が増す。筋肉もこわばって思うようなプレーがさらにしにくくなるので、ポイント間に体をほぐしてリラックスしたい。屈伸や肩・腕・首を回すなど、簡単なストレッチが有効。焦らずゆっくりと筋肉を伸ばしながら、冷静さを取り戻そう。このとき、深呼吸を伴って動作を行うと、より効果的だ。

また、負のメンタルに陥ったときは笑顔を作ると、こわばっていた顔の筋肉がほぐれ、不快な感情を軽減できる。胸を張って顔をやや上に向け、楽しいことを頭の中で思い描くとよい。

意識すればするほど、体は硬くなり肩に無駄な力が入ってしまう。サービスやレシーブの構えに入るときは、自分がリラックスできる動作を行う。

メンタルCHECK

キレのあるショットは、インパクトの瞬間以外は力みのないスイングから生まれる。常に力んでいると、微妙なラケット操作が求められるヘアピンやドロップはもちろん、サービスでのコントロール低下につながる。

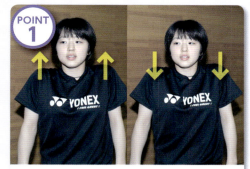

POINT 1 肩を上下させて心身をリラックスさせる

プレッシャーや緊張といった負のメンタルの状態では、自分が思っている以上に肩に力が入っている。そんなときはポイント間に肩を上下させるストレッチを行う。こわばった肩の力を抜くと、体も心もすっきりと軽く感じ、思い切りのいい動きやスイングを取り戻せる。

POINT 2 重要な場面では軽くジャンプして構える

ミスした直後や重要な場面では、軽く数回ジャンプしてから構えに入るのがオススメ。ジャンプをすると、重力によって感覚的に体が重くなったり軽くなったりする。全身をリラックスさせることができ、緊張感から来る心身のこわばりが和らぐ。

POINT 3 深呼吸に合わせながら屈伸やルーティンを行う

肩を上下させたり、軽くジャンプしたりする以外にも、屈伸をしたり、素振りなどのルーティン動作を行ってもよい。そうした動きをゆっくり深呼吸しながら行うと、より心を落ち着かせられる。深呼吸は〝吸う〟ことよりも〝吐く〟ことに意識を置くのがポイントだ。

プラスワン +1 試合前のストレッチは精神的なリラックスも促す

試合前や練習前に行うストレッチには、筋肉を伸ばして関節の可動域を広げることで、ケガを予防したり、最大限のパフォーマンスを発揮させる効果がある。また、心理面の緊張感を解いてリラックスでき、不安などマイナスのメンタルから注意をそらす効果も期待できる。

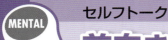

セルフトーク

前向きなセルフトークで気持ちを切り替える

コツ 38

ミスをすると、メンタルがマイナスに入りやすい。そんなときに技術や戦術のポイントを再確認したり、ルーティンを行ったりするだけでなく、積極的なセルフトークで気持ちを切り替えることが重要だ。「次はできる」「リラックスしていこう」といったポジティブな言葉を発して、メンタルを落ち着かせよう。

「なんでこんなミスをするんだ」などと、叱責する言葉で自分自身を鼓舞する選手もいるが、それは精神力が強い選手に有効な方法。自信を失わず、前向きな気持ちでプレーするには、ポジティブなセルフトークの方がいいだろう。

集中!

勝つための努力を惜しまず、集中力を維持する。自分が常に挑戦者であることを意識した、セルフトークを心がける。

メンタル CHECK セルフトークはメンタルが落ちそうな場面で有効。重要なポイントを失ったり、チャンスでミスした場面で、ポジティブな言葉で気持ちを切り替える。流れが良いときのセルフトークも自分をさらに勢いづけられる。

良いセルフトークは
やるべきことを考えた言葉で

良いセルフトークは、今の状況を受け入れ、自分がやるべきことだけを考えた言葉になる。「ベストを尽くそう」「1ポイント集中」「とにかく粘ろう」「大丈夫、必ずチャンスは来る」「強気で攻める」など、これから先のことを見据えて、自分自身に言い聞かせるとよい。

悪いセルフトークは
すでに起きたことを悔やむ

悪いセルフトークは、「〜できない」という諦めや、自分以外の相手や審判、会場の条件などに向けた言葉になりやすい。「ここでミスしたらどうしよう」「スマッシュが入らない」「この相手には勝てそうにない」など、それまでのことを悔やんだり、嘆いたりしてしまう。

ポイント間のセルフトークは
シンプルな言葉が有効

試合中のセルフトークは、ポイント間やコートチェンジ、タイムアウトのときに使いたい。とくにポイント間はそれほど時間がないため、次のポイントの構えに入るまでに、短くシンプルな言葉を選ぼう。タイミングの良いセルフトークが、心理面にプラスに働く。

「ミスは誰でもする」が
試合後半のミスは避ける

ミスをしたときは、「ミスは誰でもする」とセルフトークを行い、同じミスを繰り返さないことを考える。ただし、試合前半のミスはよいが、良い流れを止めてしまうことになる後半のミスはできるだけ避けること。前半のミスは、後半にミスをしないためのミスであるべきだ。

試合中のイライラ

深呼吸で冷静さを取り戻す

コツ 39 MENTAL

うまくプレーできないだけでなく、相手の態度に不快を感じる、審判のジャッジに不満があるなど、試合ではイライラする場面も訪れる。そうした状況では呼吸が浅くなって十分な酸素が補給しにくく、プレーはもちろん思考力も落ち込んで判断が鈍ってくる。

試合中にイライラしてきたら、ポイント間に深呼吸を行い、頭をクールダウンさせたい。深呼吸はお腹を膨らませるように腹式呼吸で。3つ数えながら鼻から吸い、2秒間止めた後、5つ数えながら口から吐く。意識の重点を〝吸う〟ことよりも〝吐く〟ことに置くとよい。

イライラはマイナス思考のシグナルのひとつ。大きくなる前にメンタルを切り替え、プラス思考に転じられるきっかけを持つ。

メンタル CHECK 人はイライラを感じると、脳がストレスに対応する物質を分泌するために筋肉の動きが鈍ってしまう。そうなると、レシーブの反応やショットの選択といったとっさの判断が遅れ、パフォーマンスも低下する。

「こんなはずではない」が
イライラの感情を生む

試合ではイライラを感じる場面が少なくない。思い通りのプレーができない、相手のプレーや態度が気に食わない、審判のジャッジが不満といった試合に直接関わる要素はもちろん、体育館の設備やコート、応援団や観客などの外的要素にイラつくこともある。すべては「こんなはずではなかった」という想定外のことが、集中力の低下に影響してくる。

思考力を低下させる感情は
深呼吸でクールダウン

思考力や判断力を鈍らせるイライラは、そのままにしていても試合の悪い流れは好転しない。深呼吸やセルフトーク、体を軽く動かすといった行為でひと呼吸おき、メンタルをクールダウンさせた状態でプレーに集中したい。ダブルスでパートナーがイライラしているのを感じたら、笑顔で前向きな言葉をかけ、メンタルを立て直してあげよう。

イライラは感じたら
できるだけすぐに解消する

冷静さを取り戻すための深呼吸は、イライラを感じたらできるだけ早く行うのが得策。イライラの感情はすぐに解消しないと、次第に大きくなり、1つのイライラがまた別のイライラを呼び起こすからだ。構えに入る前やコートチェンジ、タイムアウトの時間をうまく使い、ゆっくり吸ってゆっくり吐く。何度か繰り返せば、気持ちが落ち着いてくる。

MENTAL コツ 40

得点差
最後の1ポイントを獲るまで集中する

接戦にもつれ込んだり、厳しい状況に追い込まれたりすると、相手のミスを期待してしまうこともある。しかし、そこで鋭いショットを打ち込まれれば、すばやく適切な対応ができない。相手のミスで「ラッキー」と思う場面があるとしても、それは結果論であり、相手からは常に良いショットが入ってくることを前提に備えておきたい。

試合では得点差によってメンタルの波が起こるが、どんな状況でも1ポイントの価値は変わらない。試合が終了する最後のポイントまで集中し、同じようなメンタルでプレーすることを目指そう。

最後の1ポイントを獲るまで集中を切らさない。「あと1点で勝てる…」などと、勝利や相手との得点差を意識しすぎてしまうと、落とし穴にはまってしまうことがある。

メンタル CHECK 試合では大量リードが心理面に悪い影響をもたらしやすい。リードしている側は、油断や勝ちを意識してしまうことによる緊張が生まれ、リードされている側は、諦めやモチベーションの欠如が生まれてしまう。

POINT 1

勝ちを意識すると
プレーが消極的になる

あと少しで勝てるところまで来ているにもかかわらず、一気に追い上げられて逆転負けするという展開が少なくない。これは勝ちを意識し、「このまま逃げ切りたい」という思いから、プレーが消極的になってしまうため。結果は考えずに、最後まで目の前の1本に集中する。

POINT 2

諦めなければ
必ずチャンスは来る

相手にリードされると、「もうダメだ」とすぐに諦めたり、やる気や闘志を失ったりする。これは選手として最低の心理状態。相手も勝ちを意識して調子を乱すかもしれないし、諦めなければ必ずチャンスは来る。バドミントンは最後まで何が起こるかわからない競技である。

POINT 3

リードされて追いついたとき
同点で満足しない

リードされた側が何とか粘って追い上げる展開で、一度追いついたものの、逆転までに至らないケースも多い。これは追いついた時点で満足してしまっているから。同点とされた時点で相手は心理的に追い込まれている。その隙を逃さずに、一気に逆転に持っていきたい。

プラスワン +1

戦う前から
結果を予想しない

対戦相手のランキングや実績を見て、「この選手は強そうだ」と判断したり、自分の調子も単なる感覚で「今日は良くないな」と決めつけるのは意味がない。試合が始まったら、相手の力量や自分の調子は考えず、目の前の1ポイントに集中することでメンタルは乱れない。

MENTAL コツ 41

プラス思考

プラス思考で
バドミントンに向き合う

　試合の中では状況や展開に応じて、メンタルが浮き沈みする。良い流れのときはもちろん、苦しい場面でもプラス思考を継続させるには、すべての要素を「乗り越えるべき壁」と考えるとよい。対戦相手もその一つ。たとえ強豪であっても、「この強敵を乗り越えてさらに強くなる」という戦う意欲に変えるわけだ。

　対戦相手だけではない。自分自身のミスも、予期せぬアクシデントも、会場の照明や空調といった悪条件も、すべてが乗り越えなければならない壁。そんなメンタルがプラス思考を生み、よりよいプレーにつながっていく。

対戦相手は、自分が乗り越えるべき壁としてとらえる。そこには高低や強弱はない。勝っているときも負けているときも過剰な意識は持たず、ただ乗り越えることに集中する。

メンタル CHECK　常にポジティブ思考でいると、バドミントンへの取り組み方が前向きになっていく。試合でピンチを迎えても、「諦めずに食らいつこう」と思え、たとえ敗れても、次に勝つためにどうするかを考えるようになる。

POINT 1
ケガは乗り越えられれば さらに強くなれる試練

ケガをしてしまったら誰でもメンタルは急激に落ちる。プレーができないほどのケガなら、「いい休養をもらった」と前向きにとらえ、治療に専念しよう。「このケガを乗り越えれば、自分はさらに強くなれる」と思えることができたなら、そのケガも決して無駄にはならない。

POINT 2
仲間や環境に感謝し その思いを力に変える

バドミントンは自分のためにするものだが、そこに「誰かのために」という思いが加わると、プラスアルファの力が生まれる。指導者やチームメイト、家族、もしくはバドミントンができる今の環境など、自分を支えてくれるすべてに感謝し、そういう人たちのためにプレーする。

POINT 3
対戦相手はライバルであり 自分を高めてくれる仲間

対戦相手は試合では破るべきライバルだが、同時にリスペクトの気持ちも持ち合わせよう。大きな枠組みで考えれば、同じバドミントンを愛する仲間。こうした選手の存在が自分を高めてくれる。そんなメンタルがあれば、正々堂々とぶつかろうという気持ちが沸いてくる。

プラスワン +1
会場の悪条件は相手も同じ すべては乗り越えるべき壁

照明や空調といった試合会場の設備に不満を感じることもある。しかし、そうしたことは、口にしたり考えたところでどうしようもない。「相手も同じ条件」と考えると同時に、こうした環境も「今、自分が乗り越えなければならない壁」とすれば、ストレスを軽減できる。

ダブルスのコミュニケーション

コツ 42 ポジティブな言葉をパートナーにかける

2人で戦うダブルスでは、コミュニケーションによってメンタルをサポートし合うことができる。「ナイス！」「ドンマイ」「集中していこう」など、前向きな気持ちになれる簡潔な言葉かけや、笑顔、ハイタッチ、握手などで、良好なメンタルをキープしていきたい。

ただし、相手を追い込む言葉はもちろん、技術的な細かい指摘やアドバイスは禁物。緊迫した場面では伝わりづらく、パートナーにとって逆にプレッシャーとなって混乱する危険があるからだ。普段の練習から、パートナーと試合中の接し方を話し合っておこう。

ペアの持っている能力を最大限に発揮するためには、コンビネーションはもちろん、パートナーへの声掛けや言葉の力がポイントになる。

メンタル CHECK　ダブルスは言うまでもなく、2人が協力し合って勝利を目指す種目。互いのコミュニケーションが悪いと、連携やコンビネーションを生かしたプレーはできず、苦しい場面や逆境を跳ね返すパワーも生まれない。

POINT 1
ダブルスでの言葉がけは常にポジティブで

ダブルスでは、パートナーに対する声がけは常にポジティブな言葉が望ましい。「思いきって行こう」「いつも通り、楽しんでいこう」「1本ずつ！」「惜しい、ナイストライ！」「大丈夫、ここから挽回していこう」など、気持ちや準備、集中力を高める内容の言葉がよい。

POINT 2
ミスを責めたり結果を意識させる言葉はNG

試合中はミスを責めたり、結果を強く意識させるような言葉がけはしないこと。「もっと慎重にいこう」「力まない、力まない」「さっきのゲームは痛かったなぁ」といった言葉は禁物。「あと3ポイント取れば、勝てるよ」というわかり切った言葉も控えるべきだ。

POINT 3
試合中の技術的な指摘はパートナーを混乱させる

「テイクバックが遅いよ」「コースがちょっと甘いかな」「もっと足を動かしていこう」など、試合中の細かな技術的アドバイスや悪いところの指摘は逆効果になりやすい。言葉がけは、勇気づけることや励ますことを目的とし、試合中は技術的な指摘はしない方がよい。

プラスワン +1
ハイタッチや握手も駆使し良い雰囲気でプレーする

コミュニケーションは言葉がけだけにとどまらない。ポイント間のハイタッチや握手、ポイントを取ったらガッツポーズを見せて喜びを表現することも効果的。お互いに弱点を補いつつ、1＋1が3にも4にもなるように士気を高めると、良い雰囲気でプレーができる。

コツ 43

チェンジエンド・タイムアウト

短い時間を有効に使い落ち着く

試合では、チェンジエンドやタイムアウトなどゲームのインターバルを利用し、メンタルを整えることができる。この間に戦術などを話し合う選手や指導者がいるが、すべての時間をそのことに費やすのはオススメできない。

インターバルはメンタルを整理する時間に使いたい。とくに指導者からの声かけは、選手が混乱しない程度の指示にとどめ、まずは体とともに心もリラックスさせることを優先させる。深呼吸や給水などで気持ちを落ち着かせ、プラス思考で再開後のゲームに臨めるような端的なアドバイスが理想だ。

指導者は短い時間でわかりやすいアドバイスに徹し、選手は心と体の休息につとめ、リフレッシュしてからコートに入る。

メンタルCHECK　インターバルは体を休めるための時間であるとともに、メンタルを整える時間でもある。とくに劣勢の局面では、冷静さを取り戻す、挽回するための闘志をかき立てるなど、リスタートのきっかけにしたい。

POINT 1
インターバルは選手が心を整える時間にする

バドミントンでは、各ゲームで一方のポイントが11点になったときに60秒以内、ゲーム間は120秒以内のインターバルが設けられている。インターバルは、選手が自分のプレーを取り戻すための時間にするべき。指導者が主役になってはいけない。アドバイスは1つか2つ程度にとどめ、あとは選手がその後の展開をイメージし、心を整える時間にする。

POINT 2
水分補給や汗を拭き気分をリフレッシュさせる

インターバルは、座って休むことで体力的な回復が図れる。ただし、体が冷えたり、筋肉が固まってしまうのが嫌であれば、立ったまま軽く体を動かしておこう。水分補給や汗を拭くと、気分がリフレッシュでき、また新たな気持ちで再開を迎えられる。苦しい状況にあるなら、どうすれば局面を打開できるか、戦い方を修正して次のゲームに臨む。

POINT 3
指導者のアドバイスは試合展開によって変える

インターバルにおける指導者のアドバイスは、ゲーム展開によって大きく異なる。うまく言っているときは、「このまま行こう」「今日はスマッシュのキレがいいぞ」「良い表情しているな」と肯定的な言葉や褒め言葉が最適。何かを改善しなければならないときは、まず良い点を挙げてから、改善点を端的に伝え、「大丈夫、まだ行けるぞ」などと励ます。

※競技ルールは大会などによって異なる場合がある

相手応援団の声援

相手選手の重圧を想像して優位に立つ

対戦相手が多数の応援団を背にしていると、多勢に無勢の状況で戦っているような錯覚に陥りやすい。そこで心細さを感じてメンタルを乱し、ミスをしてしまっては相手の思うツボだ。プレーに関与できない応援団は、試合とは無関係の存在。味方ではないが、だからといって直接的な敵でもない。そう考えることで相手の応援団の存在を無視できる。

相手選手にのしかかるメンタルの負荷をイメージするのもいい。大勢からの声援でプレッシャーを感じているはずと考えれば、逆にメンタル的に優位に立ち、冷静にプレーできるようになる。

メンタルCHECK 試合を勝ち進んでいくと、敗退した選手も多くなり応援にまわる選手も多くなる。また団体戦の応援ともなるとチーム対チームの試合となるため熱が入る。相手チームの声援でメンタルをかき乱すことがないようにしよう。

PART6

チームで活躍できるメンタル

強豪校の取り組み

コツ 44 チームが一体となって頂点を目指す

　青森山田高校は、全国から優秀な選手たちが集まる高校バドミントン界の強豪チームだ。OBにはオリンピック選手や実業団で活躍する選手も多く、一流のバドミントン選手を目指すジュニア世代には憧れのチームの一つといえる。

　しかし冬は雪に囲まれ、最新の設備ではない体育館のコートからなぜトップアスリートが次々と輩出されるのだろうか。

　藤田監督によれば、バドミントンに集中できる環境で高いレベルの選手同士が、決して手を抜くことができない質の高い練習によって技術・体力・メンタルを鍛えていることに理由があるという。

チーム一丸となって目指した頂点に達したとき、喜びは最高点に達する。強豪校・強豪チームだからこそ味わえるバドミントンの醍醐味といえる。

メンタルCHECK 青森山田高のバドミントン部は、付属中学校のコートを使用して練習している。大所帯であっても効率よく練習に取り組み、バドミントンに集中できる環境を整備している。

PART6 チームで活躍できるメンタル

POINT 1
選手が自主的にメニューに取り組む

ウォーミングアップやクールダウンは入念に行い、ケガを防止して疲労を軽減する。ケガをすると練習できない期間ができてしまうだけでなく、メンタルもマイナス思考に陥ってしまう。練習時間の前半は、制限時間内で各自がメニューを考え、調整していくのか特徴だ。

POINT 2
部内マッチで選手同士を競わせる

部内の選手同士で行う練習試合は、その時々のコンディションや技術の到達度をはかる重要な役割を果たす。レベルの高い選手同士が競い合うことで、チーム全体の底上げをはかる。部内マッチの結果は、選手選考にも影響するので、選手は気を抜くことなく、ゲームを行う。

POINT 3
寮生活をベースにバドミントンに集中する

選手は親元を離れ、寮で生活する。日中は学業、午後からはバドミントンで汗を流す。競技に集中できる環境とはいえ、一般の高校生と比べれば何かを犠牲にしなければならない。そのような覚悟が試合でも折れることがない、メンタルの強さに結びついていく。

プラスワン +1
選手の個性やタイプにあわせて指導する

指導者はキャプテンを中心に選手たちを束ね、毎年「全国制覇」に向けてレベルの高いチームを構築していく。エースにはエースの、サポートメンバーにはサポートメンバーのメンタルを理解させ、選手の個性に合わせてアドバイスを送ることがチームを円滑にする。

MENTAL コツ 45

エース、第一ダブルスのプレッシャー

常に挑戦者の気持ちで立ち向かっていく

　団体戦におけるエースやエースペア、あるいは名門や強豪と言われるチームには、「勝たなければならない」という重圧が生じる。得てして実力がある側の選手やチームが重圧を感じることが多い。その地位が相手を飲み込むこともあるが、逆に重荷になってしまう場合もある。

　重圧の対処としては、今やるべきことに集中する。強豪校の場合は「先輩の代は先輩の代、自分たちは新たに強いチームを作ろう」と考えるべきだ。過去の実績が勝利をもたらしてはくれない。常に挑戦者の気持ちで、立ち向かっていくことで重圧ははねのけられる。

ディフェンディングチャンピオンであってもコートに立てば、挑戦者のひとり。油断することなく、勝利を目指してシャトルに集中する。

メンタル CHECK 実力が上のチームや選手は、相手に対して〝受け〟てしまいがち。そうしたメンタルが思わぬ番狂わせにつながる。たとえ格下相手であっても、チャレンジャー精神で試合に挑むことが実力を発揮するカギになる。

MENTAL コツ 46 控えとレギュラー
チーム全員が高い意識を持って上達を目指す

PART6 チームで活躍できるメンタル

チームとして目標に向かっていくには、全員が同じ意識で上を目指していかなくてはならない。個々のレベルにそれほど差のないチームであれば、互いに競り合うことで全体が高まっていく。

ただ、レギュラーと控え選手の間に差がある場合でも、チームが同じモチベーションでいない限り、ひとつにはまとまらない。「自分はレギュラーではないから」と考える者が一人でもいたら、団体戦での結果は得られないのだ。控え選手はレギュラーのサポートや応援を積極的に行い、レギュラーは控え選手に感謝しながらプレーに全力を注ごう。

強豪校はチーム内にもし烈な戦いがある。勝ち上がっていくために、自分には何が足りないのか見つめ直すことも大切だ。

メンタルCHECK チーム目標は、チームの全員が目指すべきもの。そこにはレギュラーも控えも関係しない。「1人ぐらいサボってもわからない」という手抜きは、やがて他のメンバーにも波及し、取り返しのつかないことになる。

MENTAL コツ 47

チームの一体感

チームを団結して強くなる

チームには様々なレベルの選手がおり、個々の目標も一人ひとり異なる。だが、チームという組織で考えれば、全員が同じ方向を向いていなければならない。そこにはレギュラーと控え選手の違いはなく、強固な団結力が求められる。

チーム作りをしていく上では、意見が対立することもあるだろう。しかし、それはチームが強くなるためには必ず通る道でもある。ミーティングなどでコミュニケーションを図ることで、必ず解決策は出る。そうしてやがて選手が「このチームが好きだ」と思えるようになると、チームに一体感が生まれてくる。

チームの目標やスローガン、部旗などは練習場の目立つところに貼り、チームの一体感を鼓舞する。

メンタル CHECK チームメイト同士で、今のチームが好きかどうかを確認し合ってみよう。全員が即座に「好き」と言えない限り、チームワークが完璧とは言えない。話し合い、みんなが好きだと言えるチームを目指したい。

MENTAL コツ 48 — 団体戦のメンバー選考

チーム内のランキングで選手を選考する

PART6 チームで活躍できるメンタル

　団体戦は一般的に、シングルス3試合ダブルス2試合か、シングルス1試合ダブルス2試合で競われる。前者の場合でも、最大で出場できるのは7人。チームの誰を起用するかは、指導者や選手たち自身に委ねられるが、公平に行わなければチーム内に不満や不和を生む。

　そこでチーム内でランキングをつけてメンバー選考を行うのが一つの方法。選考基準が明確であれば、誰もが納得できる。同程度の実力ならば、メンタル面でもチームに好影響をもたらす選手を。ダブルスでは実力はもちろん、相乗効果を生むペアの相性も重視したい。

チーム内のランキング戦は、選手選考の基準となる。しかしメンタルの強さやチームへの影響力など、ランキングに表れない選手のキャラクターも重要な要素となることもある。

メンタル CHECK　シングルスに自信がある選手、ダブルスが得意な選手など、チームには様々なタイプがいる。それぞれの持ち味を最大限に発揮し、勝利を目指すのが団体戦だ。安易に実力的な順番で決めないことが望ましい。

団体戦のオーダー

コツ 49 体力を温存しつつ、勝負所で勝ち切る

　高校生のシングルス3試合ダブルス2試合の団体戦では、第1シングルス以外はシングルスとダブルスを兼ねることができる。オーダーを考える上で重視したいのは、勝利ポイントを確実に取れるように組むこと。強いチームは実力順に第1、第2…と組んでいき、3対0で勝って余計な試合をしないのが望ましい。

　格上、または同レベルのチームと対戦する場合は、勝てそうな選手に自分たちのエース級を当てるなどして、3対2での勝ちを意識して組むこともある。ただし、そこは駆け引きなので、思い通りに当たるとは限らない。

大会を通じて、監督が意図した戦いができるかがカギとなる。選手がいつもの力を発揮できれば、おのずと結果はついてくる。

メンタルCHECK チームによっては、1人の選手がシングルスとダブルスを兼ねることもある。その選手はスタミナとの戦いにもなる。体力を温存しつつ、勝負所では勝ち切るなど、先を見据えた考え方も欠かせない。

MENTAL コツ 50

チームのモチベーション低下

キャプテンを中心に チームをまとめる

団体戦では、まとまりのないチームは勝てない。その原因としてよくあるのが、実力や学年など立場が上の選手に意見できない、「あいつはダメ」と誰か一人を標的にする、チーム内で影響力のある2人の仲が悪い、単なる〝仲良し〟グループ、といった状況。これではチームがまとまらず、総合力も上がらない。

チームにプラスにならないことは指摘し、部員全員がそれぞれを認め、仲が悪いのはもちろん、単純に仲が良いだけでもいけない。良好なコミュニケーションを図り、キャプテンを中心に、ときには厳しいことも言い合えるチームが本当の強さを獲得できる。

個人戦への意識が強くなり、チームに対するモチベーションが低下することもある。キャプテンを中心にしっかりコミュニケーションをはかり、チームを一つにまとめていく。

メンタル CHECK 〝仲が良い〟ことを長所にしているチームがあるが、強いチームになるのが目標なら、仲が良いだけでは達成できない。チームのために足りないことを考え、意見を出し合い、改革を実践できるチームを目指そう。

コツ +α 味方応援団の声援
声援に対しては全力プレーで返す

　試合では、チームメイトや家族から応援してもらえることがある。「頑張れ！」といった声援をそのまま力に変えられる選手はよいが、逆に緊張感やプレッシャーが増してしまう選手は、あらかじめ対策を考えておく必要がある。

　応援でメンタルが乱れるのは、期待に応えようという気持ちが膨れすぎることが原因。そういうときは「全力プレーで応える」意識を持てばいい。応援してくれる人たちが見たいのは、努力の成果を発揮する姿。もちろん、勝利を目指してプレーするが、勝ち負けはあくまでも結果論であると考え方を切り替えよう。

「自分はたくさんの人に支えられコートに立てている」ということを感じることで、大きな力を得ることができる。

メンタルCHECK 自分がバドミントンを続けていたくめ、たくさんの人の支えがあると理解する。応援はまさにその表れといえる。集中している状態では声援も耳に入らないが、「自分にはたくさんの味方がいる」という思いでプレーする。

強豪校のメンタル
環境に感謝して「勝利」をつかみとる

ジュニア世代から育成が盛んなバドミントンは、中高生になると完成度の高い選手になってくる。青森山田高には全国トップクラスの選手たちが集まり、高いレベルで競い合う、濃密なトレーニングでさらなる上達を目指している。

本州北端という環境でありながらも、バドミントンに集中できる環境が整っているため、選手たちは学業とバドミントン中心の生活を送っている。コートを離れても学校や寮のルールがあり、普通の学生とはかけ離れた生活を送っているが、「日本一」になるため、日々の努力を惜しむことはない。

メンタルCHECK
対戦相手は青森山田高に対して、「負けて当たり前」の捨て身で戦いを挑んでくる。それに打ち勝つ強豪校のメンタリティーを持つことが大事。日々の生活から強豪校でバドミントンをプレーしていることを意識する。

撮影協力
青森山田高等学校　バドミントン部
競技をとおして人間力を高め、礼節を身につけ、社会に貢献できる人材を育成することを目標に掲げている。選手はオリンピック出場を目指し、技術や体力の向上のために毎日練習に励んでいる。数々の大会で好成績を収め、日本代表選手を多く輩出。

過去の活動成績
男子
東北選抜大会団体 2 位
女子
インターハイ　団体優勝・個人優勝
 東北選抜大会　団体優勝
アジアジュニア U19 選手権　女子ダブルス 3 位
 世界ジュニア選手権　女子ダブルス 3 位
 世界ジュニア選手権　混合ダブルス 3 位

著者
小島一夫
元バドミントン女子日本代表監督

1952年生まれ。
北海道教育大学、東北大学文学部大学院（社会心理学）、早稲田大学大学院スポーツ科学研究科トップスポーツマネジメントコースに学ぶ。
競技経験のない監督としてバドミントン指導を始めた茨城県明野中学で5年目にして全国制覇。1985年から常総学院高等学校バドミントン部監督となり、全国高校選抜バドミントン選手権大会、インターハイ、国体、JOCカップ全日本ジュニアバドミントン大会で団体10回、個人20回の全国優勝を果たす。
ナショナルチームのジュニア部監督としてヨーロッパ遠征2回帯同。
1995年よりつくば国際大学バドミントン部監督として、インカレで団体優勝2回、個人優勝15回。2021年、同大学を退任。
1997年より全日本女子監督としてユーバー杯5位。第13回アジア大会で団体3位、個人優勝に導く。世界選手権団体10位。
2000年にはシドニーオリンピックに支援コーチとして参加する。
30年間の監督歴の中で、国際大会優勝12回、国内大会優勝55回。

[参考文献]

中込史郎　編著　1994 年「メンタルトレーニング　ワークブック」道和書院

James E. Loehr (ジム・レーヤー), スキャン・コミュニケーションズ監訳　1997 年「スポーツマンのためのメンタル・タフネス」TBS ブリタニカ社

Moore, J.W　松田岩男訳　1973 年「スポーツコーチの心理学」大修館書店

徳永幹雄　1999 年「T.T 式　ベストプレイへのメンタルトレーニング・システム－手引き－」トーヨウフィジカル (株)

小島一夫　2010 年「ある運動部員がもつ自己概念の変容に向けたメンタルサポート」　2016 年「オリンピックを目指すあるアスリートへのメンタルトレーニングと心理的サポート」など。

バドミントン　最強のメンタルトレーニング　新装版
勝利をつかむ心の整え方

2022 年 11 月 20 日　第 1 版・第 1 刷発行

著　　者　小島　一夫　（こじま　かずお）
発 行 者　株式会社メイツユニバーサルコンテンツ
　　　　　代表者　大羽　孝志
　　　　　〒102-0093東京都千代田区平河町一丁目1-8
印　　刷　シナノ印刷株式会社

◎『メイツ出版』は当社の商標です。

●本書の一部、あるいは全部を無断でコピーすることは、法律で認められた場合を除き、著作権の侵害となりますので禁止します。
●定価はカバーに表示してあります。

©ギグ,2018,2022.ISBN978-4-7804-2701-1 C2075 Printed in Japan.

ご意見・ご感想はホームページから承っております
ウェブサイト　https://www.mates-publishing.co.jp/

編集長:堀明研斗　企画担当:堀明研斗

※本書は2018年発行の『勝利をつかむ！バドミントン　最強のメンタルトレーニング』を元に、必要な情報の確認と書名・装丁の変更を行い、新たに発行したものです。